Rebecca McLaughlin

Wie Frauen Jesus sahen

Stimmen zum Buch

»Rebecca McLaughlin führt uns auf jeder Seite einsichtig und inspirierend den wahren Jesus in all seiner Sanftheit, Majestät, Barmherzigkeit und Stärke vor Augen. Eine unentbehrliche und wunderbare Lektüre.«
SAM ALLBERRY, Pastor und Autor

»Anstatt Frauen als Risiken, Verpflichtungen oder Bürden anzusehen, lädt Jesus sie ein, sich ihm zu nahen. Rebecca McLaughlin lädt uns mit ihrer charakteristischen und erfrischenden Mischung aus Fachwissen und Feinfühligkeit dazu ein, die Geschichten von Frauen zu untersuchen, die Jesu ganzen Dienst durchziehen, und sucht nach einem roten Faden, der die Gute Nachricht vermittelt. Dadurch kommt eine Botschaft ganz unmissverständlich und deutlich ans Licht: ›Lasst die Frauen zu mir kommen.‹ Darin liegt Wegweisung und Ermutigung für Frauen wie für Männer, die als Brüder und Schwestern in Gottes Familie leben wollen.«
JEN WILKIN, Autorin und Bibellehrerin

»In diesem zum Nachdenken anregenden, herzergreifenden Buch zeigt Rebecca McLaughlin, dass das frühe Christentum, weit davon entfernt, Frauen herabzuwürdigen und abzuwerten, entgegen der damaligen Kultur das Gemeinwohl im Blick hatte. Es wurde sogar von Frauen vorangetrieben, die wirklich gekannt und innig geliebt waren. Wenn wir mit den Augen und durch die Leben der Frauen in den Evangelien schauen, können wir Jesus in all seinem entschlossenen Eintreten für die Wahrheit und seiner strahlenden Schönheit klarer sehen.«
JULIUS J. KIM, Präsident, *The Gospel Coalition*

REBECCA McLAUGHLIN

WIE FRAUEN JESUS SAHEN

Wie die ersten Jüngerinnen uns helfen, den Herrn kennen *und* lieben zu lernen

cvmd

Christliche Verlagsgesellschaft mbH
Kompetent. Profiliert. Engagiert.

Rebecca McLaughlin
Wie Frauen Jesus sahen
Wie die ersten Jüngerinnen uns helfen, den Herrn kennen und *lieben zu lernen*

1. Auflage 2024

ISBN 978-3-9825009-2-8 (cvmd)
ISBN 978-3-86353-860-6 (CV)

Originaltitel: Jesus through the Eyes of Women: How the First Female Disciples Help Us Know and Love the Lord

Original erschienen bei: The Gospel Coalition
P.O. Box 170346
Austin, Texas 78717 (USA)

Übersetzung: Isabel Hess
Lektorat: Robert Booker
Gesamtgestaltung: Velimir Milenković, cvmd
Gesetzt aus: FF Tisa Pro und Baskerville Neo
Druck: ARKA, Cieszyn (Polen)
Printed in the EU 2024

Folgende Bibelübersetzung wurde verwendet:
bibel.heute, Neue evangelistische Übersetzung

INHALTSVERZEICHNIS

Für Grace,
die Jesus bald sehen wird

EINLEITUNG

1896 verkaufte ein Handschriftenhändler auf einem Kairoer Antiquitätenmarkt einen antiken Papyrus. Der Käufer war ein deutscher Wissenschaftler namens Carl Reinhardt. Der Händler erzählte Reinhardt, ein Bauer habe die Handschrift in einer Mauernische entdeckt. Nur leider ist es zweifelhaft, ob diese rührselige Erzählung wahr ist. Der Papyrus stammt aus dem fünften Jahrhundert und war so gut erhalten, dass er unmöglich 1500 Jahre im Freien gelegen hat. Als Reinhardt das Manuskript untersuchte, fiel ihm auf, dass es vier bisher unbekannte antike Texte enthielt, darunter Teile einer Abschrift von einem Buch, das heute als das Evangelium der Maria bekannt ist.

Seitdem wurden zwei weitere Fragmente dieses Marienevangeliums gefunden, und Experten sind der Ansicht, dass es ursprünglich im zweiten Jahrhundert verfasst wurde. In jeder der Abschriften fehlen wesentliche Textabschnitte. Doch der Rest handelt von einer Begegnung zwischen Jesus und seinen Jüngern nach seiner Auferstehung. Eine Jüngerin, Maria, hat von Jesus eine besondere Offenbarung empfangen. Doch als Maria das mitteilt, was Jesus ihr gezeigt hat, bezichtigt Petrus sie einer Lüge. Er glaubt nicht, dass Jesus einer Frau diese Offenbarung zuteilwerden lassen hat. Auf diese Beschuldigung hin weint Maria.

Marias Erfahrung klingt in den Geschichten unzähliger Frauen der letzten 2000 Jahre nach, die von ihren Brüdern in Christus abgewertet und nicht ernst genommen wurden. Manche meinen sogar, das

Christentum sei zutiefst frauenfeindlich – es mache Frauen mundtot, schiebe sie beiseite und trete sie mit Füßen. In meiner Zeit am Mädchen-Gymnasium, das ich besuchte, und nachher an der Cambridge University habe ich viele Unterhaltungen mit Frauen und Männern geführt, die dachten, Frauenrechte und das Christentum stünden im Widerspruch zueinander – wenigstens jene Formen des Christentums, die sich auf die Bibel als ihre Wahrheitsquelle berufen. Heute lebe ich in Cambridge, Massachusetts. Doch die Ansicht der meisten Menschen in meinem Alter ist dieselbe: Der Kokon des Christentums muss abgelegt werden, damit der Schmetterling der Frauenrechte emporsteigen kann.

Einige Wissenschaftler sind der Ansicht, das Marienevangelium und andere sogenannte gnostische Evangelien stellten für das Christentum ein Rettungsboot dar, wenn es um Frauen geht. Manche meinen sogar, dass frühe Gemeindeleiter eine frauenorientiertere Version des Christentums unterdrückt haben, die durch Texte wie das Marienevangelium erhalten geblieben ist. Aber in diesem Buch möchte ich Argumente dafür vorbringen, dass die Evangelien nach Matthäus, Markus, Lukas und Johannes aus dem ersten Jahrhundert alles andere als frauenfeindlich sind. Anstatt die Stimmen von Frauen leise zu drehen und ihr Leben herabzuwürdigen, verbinden sie uns mit dem Zeugnis der Frauen, die Jesus vor 2000 Jahren leibhaftig begegnet sind, und zeigen uns Jesus durch deren Brille als schöner, historisch korrekter und Frauen gegenüber wertschätzender, als ihn das Marienevangelium bieten könnte.

JESU WIRKUNG AUF FRAUEN

Die vier neutestamentlichen Evangelien erzählen viele Geschichten, in denen Jesus auf Frauen trifft. Arme Frauen und reiche Frauen. Kranke Frauen und trauernde Frauen. Alte Frauen und junge Mädchen. Jüdische Frauen und nicht jüdische Frauen. Für ihre Sünden berüchtigte Frauen und tugendhafte Frauen. Jungfrauen und Witwen. Prostituierte und Prophetinnen. Wenn wir durch ihre Augen auf Jesus schauen, sehen wir einen Mann, der die unterschiedlichsten Frauen wertschätzte – insbesondere die, auf die andere herabsahen. Die Art und Weise, wie Jesus Frauen behandelte, räumte mit der damaligen Vorstellung auf, dass Frauen Männern von Geburt aus unterlegen seien – eine Vorstellung, die in der Antike weitverbreitet war. Daher sollte es uns nicht überraschen, dass Frauen seitdem in Scharen zu Jesus kamen und noch heute kommen.

In seinen ersten Jahrhunderten war das Christentum für seine Attraktivität für Frauen und Sklaven bekannt. Der römische Statthalter Plinius der Jüngere schrieb im frühen zweiten Jahrhundert an den Kaiser Trajan und fragte ihn um Rat, wie er mit den Christen umgehen solle. Um mehr über diesen seltsamen neuen Glauben herauszufinden, der sich in seinem Herrschaftsgebiet ausbreitete, veranlasste er die Folter »zweier Sklavinnen, die Diakoninnen genannt wurden«. Diese Innenansicht der Gemeinde war repräsentativ für ihre Mitgliederstruktur. Während Frauen und Sklaven in der griechisch-römischen Kultur enteignet wurden, konnten sie in der Gemeinde bedeutende Leitungsrollen übernehmen, etwa wie die zwei Sklavinnen, die als Diakoninnen bezeichnet wurden. Als der griechische Philosoph Celsus, der im späten zweiten Jahrhundert lebte, scherzte, dass Christen »nur die Törichten, Ehrlosen und Dummen, nur Sklaven, Frauen und kleine Kinder überzeugen wollen und können«, zeichnete er zwar eine Karikatur, deren Basis allerdings in der Wirklichkeit lag.[1] Sogar von den frühesten und zuverlässigsten Belegen über die Zusammensetzung der Gemeinde, die wir haben, bis hin zu den besten Daten heute spricht vieles dafür, dass Jesus für Frauen immer anziehender war als für Männer.

Aufzeichnungen einer nordafrikanischen Gemeinde, die während der Großen Verfolgung von 303 bis 313 n. Chr. überfallen wurde, dokumentieren die Beschlagnahme von überwiegend weiblicher Kleidung: 13 Paar Männerschuhe gegenüber 47 Paar Frauenschuhen; 16 Männergewänder gegenüber 82 Frauengewändern sowie 38 Frauenkopfbedeckungen.[2] Diese Kleidung war vermutlich für die Armen gedacht. Doch selbst unter wohlhabenden Christen waren Frauen anscheinend in der Überzahl gegenüber Männern. Aus der Zeit vor der Bekehrung des römischen Kaisers Konstantinus im Jahr 337 kennen wir die Namen von

1 Siehe Michael J. Kruger, *Christianity at the Crossroads: How the Second Century Shaped the Future of the Church* (Downers Grove, IL: ivp Academic, 2018), 34–35.

2 Siehe Helen Rhee, *Loving the Poor, Saving the Rich: Wealth, Poverty, and Early Christian Formation* (Grand Rapids, MI: Baker Academic, 2012), 154.

40 Christen aus der Senatorenschicht. Zwei Drittel davon sind Frauennamen.[3] Warum also wurden Frauen vom Christentum so angezogen?

In *The Triumph of Christianity: How a Forbidden Religion Swept the World* erklärt der Neutestamentler und Skeptiker Bart Ehrman, dass, auch wenn das Römische Reich extrem divers war, dessen Bewohner einige grundlegende Annahmen teilten. »Wenn es ein Wort gibt, das die gemeinsame soziale, politische und persönliche Ethik der Zeit umfassen könnte«, schreibt Ehrman, »dann ist es ›Dominanz‹.« Er fährt fort:

> In einer Kultur der Dominanz erwartet man von den Mächtigen, dass sie ihren Willen gegenüber den Schwachen durchsetzen. Machthaber müssen über ihre Untertanen herrschen, Patrone über ihre Klienten, Herren über ihre Sklaven und Männer über ihre Frauen.[4]

Doch das Christentum stellte diese Vorstellung auf den Kopf. Wie Ehrman es formuliert:

> Die Anführer der christlichen Gemeinde predigten eine Ethik der Liebe und des Dienens und hielten auch die Gemeindeglieder dazu an. Der eine war nicht wichtiger als der andere. Alle hatten vor Gott denselben Stand: Der Herr war nicht wichtiger als der Sklave, der Patron als der Klient, der Ehemann als die Ehefrau, der Starke als der Schwache oder der Gesunde als der Kranke.[5]

Diese ethische Umkehrung, die auf Jesu Worten und Taten beruhte, machte das Christentum vor allem für Frauen in der antiken Welt anziehend und bildete die Basis für die moderne Vorstellung, dass Frauen grundsätzlich Männern gleichgestellt sind. Das Christentum

3 Siehe Peter Lampe, *From Paul to Valentinus: Christians at Rome in the First Two Centuries* (Minneapolis: Fortress Press, 2003), 119.

4 Bart Ehrman, *The Triumph of Christianity: How a Forbidden Religion Swept the World* (New York: Simon & Schuster, 2018), 5.

5 Ehrman, *Triumph of Christianity*, 5–6.

stand Frauenrechten also nicht entgegen, es war deren erste und beste Grundlage.

In den letzten beiden Jahrtausenden wurde aus dem Christentum als dem Glauben einer kleinen Minderheit das verbreitetste sowie das ethnisch und kulturell diverseste Glaubenssystem der Welt. Und Jesu Anziehungswirkung auf Frauen ist ungeschmälert. Ein Bericht aus dem Jahr 2015 zeigte, dass weltweit 33,7 % der erwachsenen Frauen sich als Christen bezeichnen, aber nur 29,9 % der Männer. Und die Zahlen werden vermutlich weiter auseinandergehen. Die Gemeinde in China ist eine der am schnellsten wachsenden christlichen Bewegungen der Welt und wird in fünf Jahren voraussichtlich mehr Christen zählen als die USA – und darunter überproportional viele Frauen. Darüber hinaus ist die Wahrscheinlichkeit, dass christliche Frauen wöchentlich ihre Gemeinde besuchen[6] und täglich beten,[7] weltweit deutlich höher als bei Männern. Sie lesen auch mit höherer Wahrscheinlichkeit allein in der Bibel – selbst wenn es mit großer Anstrengung verbunden ist.[8] Vor einigen Jahren erzählte mir eine chinesische Freundin, dass ihre Großmutter, die Analphabetin war, nachdem sie zum Glauben gefunden hatte, anfing, Leute in ihrem Häuserblock anzusprechen und sie zu bitten, ihr beim Lesen von nur ein paar Bibelversen zu helfen. Doch nützt ihr ganzes Zuströmen zum Christentum den Frauen überhaupt? Oder ist Jesus eher wie ein schrecklicher Partner, den die Frauen einfach nicht verlassen können, selbst wenn es ihnen so schadet?

Es ist für Frauen keineswegs schlecht, aktiv ihre Religion auszuüben (was für die meisten im Westen den regelmäßigen Gemeindebesuch einschließt). Vielmehr scheint es mit mehr Freude und einer

6 In einer Analyse von 53 Ländern fand man heraus, dass 53 % der Frauen, die sich selbst als Christinnen bezeichnen, sagten, dass sie mindestens einmal wöchentlich eine Gemeinde besuchen, von den Männern waren es nur 46 %. Siehe »The Gender Gap in Religion Around the World«, Pew Research Center, 22. März 2016, https://www.pewforum.org/2016/03/22/women-more-likely-than-men-to-affiliate-with-a-religion/.

7 In den 54 untersuchten Ländern geben 61 % der christlichen Frauen an, dass sie täglich beten, von den christlichen Männern geben dies 51 % an. Siehe »The Gender Gap in Religion Around the World«, https://www.pewforum.org/2016/03/22/women-report-praying-daily-at-higher-rates-than-men/.

8 Die »State of the Bible Survey« von 2020, die von der American Bible Society beauftragt war, fand heraus, dass »Frauen sich mehr mit der Bibel beschäftigen als Männer«. Darin wird berichtet, dass mehr als die Hälfte der amerikanischen Frauen (52 %) »der Bibel positiv gegenübersteht«, »sich mit der Bibel beschäftigt« oder »bibelorientiert« ist; von den männlichen Amerikanern sind es 47 %.

besseren psychischen Gesundheit einherzugehen. Zum Beispiel fand man in einer großflächigen wissenschaftlichen und im Jahr 2016 veröffentlichten Studie der Harvard School of Public Health heraus, dass es bei US-Amerikanerinnen, die mindestens einmal pro Woche religiöse Veranstaltungen besuchen, fünfmal unwahrscheinlicher ist, dass sie Selbstmord begehen, als bei solchen, die das nie taten.[9] Ebenso erkannte man in einer 2020 veröffentlichten Studie, dass es bei US-Amerikanerinnen, die wöchentlich religiöse Veranstaltungen besuchen, 68 % unwahrscheinlicher ist, dass sie an Selbstmord, einer Überdosis Drogen oder Alkohol sterben, als bei denen, die dies nie tun, während es bei Männern, die wöchentlich in religiöse Veranstaltungen gehen, 33 % unwahrscheinlicher ist, dass sie an solchen Ursachen sterben.[10] Auffallenderweise bezeichnet sich in den USA mehr als ein Drittel der Erwachsenen, die aktiv ihren Glauben ausleben (36 %), selbst als »sehr glücklich« im Vergleich zu nur einem Viertel (25 %) derer, die inaktiv religiös sind (z. B. sich entweder als Christen bezeichnen, aber keine Gemeinde besuchen), oder derer, die keiner Religion anhängen.[11]

Während die biblische Beschränkung von Sex auf eine lebenslange Ehe oft als ungesunde Zwangsjacke beschrieben wurde, die Frauen (und Männern) die sexuelle Freiheit versagt, die für den Weg zum Glück gehalten wird, sprechen die Zahlen für das Gegenteil. Es gibt immer mehr Belege dafür, dass – insbesondere für Frauen – mehrere Sexualpartner zu haben mit einem niedrigeren Maß an psychischer Gesundheit und

9 Siehe Tyler J. VanderWeele et al., »Association Between Religious Service Attendance and Lower Suicide Rates Among US Women«, *JAMA Psychiatry* 73, Ausgabe 8 (2016), https://jamanetwork.com/journals/jamapsychiatry/article-abstract/2529152.

10 Siehe Ying Chen et al., »Religious Service Attendance and Deaths Related to Drugs, Alcohol, and Suicide Among US Health Care Professionals«, *JAMA Psychiatry* 77, Ausgabe 7 (2020), https://jamanetwork.com/journals/jamapsychiatry/article-abstract/2765488?mc_cid=469f806293&mc_eid=796e84b78.

11 Siehe »Religion's Relationship to Happiness, Civic Engagement and Health Around the World«, Pew Research Center, 31. Januar 2019, https://www.pewforum.org/2019/01/31/religions-relationship-to-happiness-civic-engagement-and-health-around-the-world/.

Glück einhergeht.[12] Im Gegenteil: Ehefrauen sind alles andere als in ihrem Elend gefangen: Die glücklichsten Ehefrauen in Amerika sind tiefgläubige Frauen, die mit tiefgläubigen Männern verheiratet sind.[13] Bei Paaren, die gemeinsam beten, zu Hause in der Bibel lesen, eine Gemeinde besuchen usw., ist die Wahrscheinlichkeit, dass sie angeben, mit ihrem Sexualleben zufrieden zu sein, zweimal höher als bei nicht gläubigen Paaren.[14] Man könnte meinen, die christliche Ehe nehme Frauen ihre sexuelle Freiheit. Doch die Datenlage spricht dafür, dass sie Frauen (und Männer) vor den Verheerungen des unverbindlichen Sex bewahrt.

Bedeutet das, dass das Christentum nur etwas für Jungfrauen und glücklich verheiratete Mütter mit vier Kindern ist? Nein. Denn wenn wir Jesus in den Evangelien betrachten, begegnen wir einem Mann, der sexuell berüchtigte Frauen willkommen heißt, während er sich sexuell selbstgerechten Männern entgegenstellt. Wir begegnen einem Mann, der in einen sexuellen Skandal hineingeboren wird und unter seinen Mitjuden für weitere Empörung sorgte, indem er auch solche Frauen schätzte, die für ihre Sünden im sexuellen Bereich bekannt waren. Wir begegnen einem Mann, der nie eine sexuelle Beziehung hatte, aber Frauen so viel Liebe entgegenbrachte, dass sie bereit waren, alles zu verlassen, um ihm nachzufolgen. Wir begegnen einem Mann, der die einflussreichen religiösen Anführer seiner Zeit links liegen ließ und sein längstes überliefertes privates Gespräch mit einer religiös verachteten Frau führte. Dieses ganze Buch hindurch werden wir Jesus durch

12 Siehe z. B. Tyree Oredein and Cristine Delnevo, «The Relationship between Multiple Sexual Partners and Mental Health in Adolescent Females«, *Journal of Community Medicine & Health Education* 3, Ausgabe 7 (Dezember 2013), worin festgestellt wird: » Die Häufigkeit von Traurigkeit, Selbstmordgedanken, Selbstmordplänen und Selbstmordversuchen steigt in allen ethnischen Gruppen mit der Anzahl der Sexualpartner«; und Sandhya Ramrakha et al., »The Relationship between Multiple Sex Partners and Anxiety, Depression, and Substance Dependence Disorders: A Cohort Study«, *Archives of Sexual Behavior* 42, Ausgabe 5 (Februar 2013), https://www.ncbi.nlm.nih.gov/pmc/articles/PMC3752789, worin festgestellt wird, dass »insbesondere bei Frauen ein starker Zusammenhang zwischen der Anzahl der Sexualpartner und späteren Suchterkrankungen besteht«.

13 Siehe W. Bradford Wilcox, Jason S. Carroll und Laurie DeRose, »Religious Men Can Be Devoted Dads, Too«, *New York Times*, 18. Mai 2019, https://www.nytimes.com/2019/05/18/opinion/sunday/happy-marriages.html.

14 Siehe Matthew Saxey und Hal Boyd, »Do ›Church Ladies‹ Really Have Better Sex Lives?«, *Institute for Family Studies*, 16. November 2020, https://ifstudies.org/blog/do-church-ladies-really-have-better-sex-lives.

die Augen dieser Frauen betrachten. Aber können wir überhaupt darauf vertrauen, dass das, was wir in den Berichten der vier Evangelien des Neuen Testaments lesen, zutreffend ist und dass Texte wie das Marienevangelium uns kein authentischeres Bild vermitteln?

SIND DIE EVANGELIEN ZUVERLÄSSIG?

In seinem bahnbrechenden Buch *Jesus and the Eyewitnesses* argumentiert der britische Neutestamentler Richard Bauckham überzeugend, dass die Texte von Matthäus, Markus, Lukas und Johannes nicht die Ergebnisse jahrzehntelanger mündlicher Überlieferungen über Generationen hinweg sind – wie es viele Wissenschaftler des 20. Jahrhunderts annahmen –, sondern dass sie Augenzeugenberichte von Menschen, die Jesus persönlich kannten, für uns bewahrt haben. Dieses Buch wird sich stark an Bauckhams Arbeit anlehnen, insbesondere auch an sein hervorragendes Buch *Gospel Women,* und wird Argumente dafür aufzeigen, dass besonders das Zeugnis von Frauen wesentlich für die Geschichte ist, die uns in den Evangelien erzählt wird.[15]

Es entspricht dem wissenschaftlichen Konsens, dass das Markusevangelium als erstes der Evangelien niedergeschrieben wurde, etwa 35 bis 45 Jahre nach den Ereignissen, über die es berichtet. Bauckham merkt an, dass das Markusevangelium so datiert wird, dass diese Datierung durchaus »noch zu Lebenszeiten vieler Augenzeugen« liegt, und argumentiert, dass die Evangelien nach Matthäus, Lukas und Johannes »in der Zeit verfasst wurden, als die Augenzeugen nach und nach starben, also gerade in einer Zeit, zu der ihre Zeugnisse verloren gegangen wären, wären sie nicht schriftlich festgehalten worden«[16]. Vergleicht man die Art und Weise, wie Namen in den Evangelien verwendet werden, damit, wie die Augenzeugen in anderen Texten aus derselben Zeit zitiert werden, wird klar, dass die Verfasser der Evangelien ihre Leser auf die Quellen für ihre Berichte hinweisen, wie Bauckham überzeu-

15 Siehe Richard Bauckham, *Jesus and the Eyewitnesses: The Gospels as Eyewitness Testimony* (Grand Rapids, MI: Wm. B. Eerdmans, 2006); Bauckham, *Gospel Women: Studies of the Named Women in the Gospels* (Grand Rapids, MI: Wm. B. Eerdmans, 2002). Eine zweite Auflage von *Jesus and the Eyewitnesses* wurde 2017 herausgegeben, ich zitiere jedoch nach der ersten Auflage.
16 Bauckham, *Jesus and the Eyewitnesses*, 7.

gend feststellt. Doch hätten sich die Augenzeugen wirklich nach so langer Zeit an diese Ereignisse erinnern können?

Ich bin noch zu jung, um mich an Dinge zu erinnern, die vor 35 bis 45 Jahren geschehen sind – geschweige denn vor 60 Jahren, was dem wahrscheinlichen Abstand entspricht zwischen der Zeit, als der Evangelist Johannes mit Jesus unterwegs war, und der Zeit, in der er sein Evangelium niedergeschrieben hat. Wenn du jünger bist als 50, kommen dir diese Zeitabschnitte wahrscheinlich unvorstellbar lang vor. Wir vergessen ja schon das meiste, was wir letzte Woche erlebt haben! Doch meine Eltern, die Mitte 60 sind, und meine Großeltern, die Mitte 80 sind, erinnern sich noch gut an die wichtigsten Momente und Gespräche aus der Zeit, als sie Jugendliche und junge Erwachsene waren – insbesondere an die, die sie ihren Kindern, Enkeln und Urenkeln immer und immer wieder erzählt haben. Mein Großvater erinnert sich z. B. noch an den Tag, als meine Mutter als kleines Kind darauf bestand, allein zur Schule zu gehen. Mein Großvater ließ sie gehen, folgte ihr jedoch in einigem Abstand. Es stellte sich heraus, dass sie geplant hatte, zu einem Jungen zu gehen, der ihre kleine Schwester geärgert hatte, um mit ihm zu kämpfen! Das ist vor fast 60 Jahren passiert, und obwohl es kein lebensveränderndes Ereignis war, blieb es meinem Großvater in Erinnerung, und er hat die Geschichte über die Jahrzehnte immer wieder amüsiert erzählt. Jesu Jünger hatten sich vorgenommen, zu beobachten, was er tat, und zu lernen, was er lehrte. Das war ein Vollzeit-Job – nicht nur für die zwölf ausgewählten Apostel, sondern auch für die Dutzenden Menschen (darunter viele Frauen), die mit Jesus reisten. Nach Jesu Tod und Auferstehung zogen sie von Ort zu Ort und verkündeten, was sie gesehen und gehört hatten. Als die Autoren der Evangelien schließlich ihre Berichte über das Leben Jesu aufschrieben, konnten sie auf eine Fülle von Zeugnisberichten zurückgreifen – nicht zuletzt auf die der Jüngerinnen Jesu.

Was ist mit den anderen sogenannten Evangelien wie dem Marienevangelium? Während die vier neutestamentlichen Evangelien alle innerhalb der Lebzeiten der Augenzeugen von Jesu Leben geschrieben wurden, meint man, dass das Marienevangelium erst zu Anfang bis zur

Mitte des zweiten Jahrhunderts geschrieben wurde, also deutlich nachdem die letzten Augenzeugen gestorben waren.[17]

Das Marienevangelium wurzelt, wie andere sogenannte gnostische Evangelien auch, eher in der griechischen Philosophie als in den hebräischen Schriften. Es vertritt auch eine andere Weltanschauung, nämlich dass Materie schlecht ist und Rettung die Flucht aus dem Physischen beinhaltet. Das unterscheidet sich grundlegend von der jüdisch-christlichen Vorstellung, nämlich dass Gott die Welt ursprünglich gut geschaffen hat, sowie von der christlichen Verheißung der leibhaftigen Auferstehung und einem körperlichen Leben für alle, die auf Jesus vertrauen. Anders als die Evangelien in unseren Bibeln bietet uns das Marienevangelium auch keinen Bericht über das Leben Jesu auf der Erde. Es konzentriert sich ausschließlich auf angebliche Gespräche Jesu nach seiner Auferstehung. Wenn wir nur diesen Text und nicht die Texte der biblischen Evangelien hätten, wüssten wir beinahe nichts über das Leben, den Tod und die Auferstehung des Jesus von Nazareth und hätten nur einen winzigen Anteil seiner schriftlich überlieferten Lehren – Lehren, die die Welt verändert haben.

Man könnte meinen, das Marienevangelium sei niedergehalten worden, weil Petrus darin schlecht wegkommt. Schließlich war Petrus einer der Hauptanführer der frühen Gemeinde. Doch die biblischen Evangelien retuschieren die Fehler von Jesu männlichen Nachfolgern nicht weg, sie zeichnen zumeist sogar ein unvorteilhaftes Bild von den Aposteln (vor allem von Petrus) – so auch das Markusevangelium, das, wie angenommen wird, auf Petrus' Zeugnis beruht. Zum Beispiel wurde in allen vier Evangelien festgehalten, dass Petrus in der Nacht von Jesu Gefangennahme dreimal leugnete, Jesus überhaupt zu kennen.

Im Gegensatz dazu sind die Frauen im Kreis der Jünger Jesu bekannt für ihre Treue, und jeder der vier Evangelisten stützt sich an entscheidenden Stellen in seinen Erzählungen auf die Berichte von Frauen. Ja wenn wir die Evangelien in unseren Bibeln durcharbeiten und dabei alle Szenen ausklammern würden, die *nicht* von Frauen bezeugt wurden, würde nur ein kleiner Teil wegfallen. Würden wir hingegen die

17 Siehe Karen L. King, *The Gospel of Mary of Magdala: Jesus and the First Woman Apostle* (Santa Rosa, CA: Polebridge Press, 2003), 3.

Dinge ausklammern, die *nur* von Frauen bezeugt wurden, würden wir unseren ersten Blick auf Jesus verlieren, als er seinen menschlichen Körper annahm, sowie unseren ersten Blick auf Jesus in seinem Auferstehungskörper. In den vier Evangelien werden die Berichte von Augenzeuginnen aufbewahrt. Die zentrale Frage dieses Buches lautet: Wie sahen sie Jesus?

FRAUEN IN DIESEM BUCH

Wenn Luke, mein dreijähriger Sohn, etwas gemacht hat, auf das er stolz ist, fragt er mich: »Mama, hast du einen Blick auf mich bekommen?« Seine Formulierung klingt irgendwie kindlich unbeholfen, aber gleichzeitig auch tiefgründig. Selbst als seine Mutter werde ich immer nur einen Blick auf ihn erhaschen. Sein Vater, seine Schwestern, Lehrer und Freunde sehen ihn alle aus anderen Perspektiven. Wie bei einem 3-D-Bild könnten wir dann alle diese Schnappschüsse zusammensetzen und dadurch ein besseres Gefühl dafür bekommen, wer er ist. Aber selbst dann würden wir nur einen Blick auf ihn erhaschen. In Bezug auf Jesus trifft diese Wahrheit umso mehr zu. Wir können ihn niemals ganz begreifen. Aber laut den Evangelien ist er gekommen, um uns zu *er*greifen: nicht um uns unserer Rechte zu berauben und uns einzusperren, sondern um uns in unseren rechtmäßigen Lebensraum zurückzubringen, nämlich bei ihm.

Von den ersten Momenten in seinem irdischen Leben an wurde Jesus von Frauen beobachtet. In diesem Buch werden wir die Geschichten dieser Frauen untersuchen und sehen, wie Jesus in ihren Augen aussah.

In Kapitel 1 werden wir uns Jesus durch die Brille der Prophetie ansehen und uns dabei auf die Zeugnisse von Jesu Mutter Maria, ihrer bereits betagten Cousine Elisabet und einer Prophetin namens Hanna ansehen, die über Jesus als Baby prophezeite, als er in den Tempel gebracht wurde. Wir werden sehen, wie Gott diesen Frauen prophetische Worte eingab, damit sie uns zeigen, wer Jesus ist und was er tun würde.

In Kapitel 2 werden wir feststellen, dass sich unter Jesu Jüngern viele Frauen befanden. Manche von ihnen reisten mit ihm mit, andere blieben an ihrem jeweiligen Ort. Wir werden erkennen, was wir von den namentlich benannten Frauen lernen können, die als Jüngerinnen mit

Jesus umherzogen. Dann werden wir zwei von Jesu engsten Freundinnen in den Blick nehmen: Maria und Marta aus Betanien.

In Kapitel 3 geht es um Speise. Wir sehen Jesu erstes Wunder im Johannesevangelium, als er auf den Wunsch seiner Mutter hin krugweise Wasser in besten Wein verwandelte. Wir hören mit bei seinem längsten überlieferten Gespräch: als er mit einer Frau aus Samaria an einer Quelle redete und ihr lebendiges Wasser anbot. Wir werden betrachten, wie die Mutter zweier Apostel Jesu zuerst einen nicht unerheblichen Fehltritt beging und wie sie ihr Versagen später wettmacht. Außerdem werden wir eine schockierende Unterhaltung zwischen Jesus und einer Frau aus Syrophönizien in den Blick nehmen, die erkannte, dass Jesus der Geber des wahren Brotes ist.

In Kapitel 4 werden wir der Spur von Heilungen folgen, die Jesus an Frauen vollbrachte: von der fiebernden Schwiegermutter des Simon Petrus über eine Frau, die zwölf Jahre lang an Blutungen gelitten hatte, und ein zwölfjähriges Mädchen, das von Jesus von den Toten auferweckt wurde, bis hin zu einer verkrümmten Frau, die er am Sabbat heilte. Wir werden sehen, wie bei jeder dieser Frauen die Identität Jesu beleuchtet wird.

In Kapitel 5 wird es um Vergebung gehen. Wir werden sehen, wie Jesus eine bekannt sündige Frau willkommen hieß und sie als Vorbild der Liebe lobte und wie er eine Frau, die beim Ehebruch ertappt worden war, in Schutz nahm und ihre Situation nutzte, um die Sünde der religiösen Anführer ans Licht zu bringen.

Zu guter Letzt werden wir in Kapitel 6 sehen, wie sehr die Evangelisten in Bezug auf Jesu Auferstehung auf die Augenzeugenberichte von Frauen angewiesen waren. Der auferstandene Sohn Gottes wurde zuerst durch die Augen von Frauen gesehen, und es waren auch Frauen, denen er zuerst die Nachricht anvertraute, dass er lebte.

Die Evangelien stellen Jesus als den einzig wahren, lebendigen Gott dar – den Gott, der das Universum geschaffen hat und den laut Bibel kein Mensch sehen kann, ohne zu sterben. Einen Blick auf Jesus zu bekommen, bedeutet, dein Leben zu riskieren. Aber laut Jesus bedeutet es auch, es zu finden. Weinende Frauen, deren Gesicht zu Boden schaute, sahen Jesus, während manche Männer ihm direkt gegenüberstanden ohne einen blassen Schimmer davon, wen sie da vor sich hatten. Wir brauchen das Marienevangelium aus dem zweiten Jahrhundert nicht, um zu sehen, wer Jesus ist. Wir brauchen die Evangelien nach Matthäus, Markus, Lukas und Johannes aus dem ersten Jahrhundert, die von Anfang an ihr Material aus Augenzeugenberichten von Frauen beziehen.

KAPITEL 1

PROPHETIE

Die erste Person, die die Gute Nachricht von Jesus vernahm, war eine Teenagerin aus der Unterschicht eines kleinen, unbedeutenden Ortes. Sie war die erste, die seinen Namen kannte; die erste, die wusste, dass er Gottes Sohn war; die erste, die erkannte, dass ihr Sohn Gottes ewiger König war, der den Tod besiegen würde. Sie trug den gewöhnlichsten Namen ihrer Zeit – einen Namen, den eine von fünf jüdischen Frauen trug, die zu ihrer Zeit in ihrer Gegend lebten.[1] Sie war einfach nur eine weitere Maria. Doch dann erschien ihr ein Engel. Und in einem Augenblick wurde aus der begrenzten Welt dieses gewöhnlichen Mädchens der Ort, an dem Gott in die Welt trat.

In diesem Kapitel werden wir uns Jesu Mutter Maria und zwei weitere Frauen, Elisabet und Hanna, ansehen, denen Gott die Gabe der Prophetie schenkte, damit sie Jesus erkannten. Wir werden sehen, wie die Geburt nach hinten in die Geschichte der Welt zurückgriff und nach vorne in die Ewigkeit reichte. Und wir werden einen ersten intensiven Vorgeschmack von der Rolle bekommen, welche Frauen in Jesu Leben auf der Erde spielten: vom Anfang dieses Lebens bis zu seinem bitteren Ende – und darüber hinaus.

1 Erhaltene Aufzeichnungen zeigen, dass über 20 % der jüdischen Frauen in der Region Maria hießen. Siehe Richard Bauckham, *The Testimony of the Beloved Disciple: Narrative History and the Theology of John's Gospel* (Grand Rapids, MI: Baker Academic, 2007), 175.

PROPHETIE UND SCHWANGERSCHAFT

Den Test, durch den ich zuerst erfuhr, dass ich schwanger war, habe ich jahrelang behalten. Zwei pinke Striche verrieten mir, dass in neun Monaten mein Baby auf die Welt kommen würde. Ich sah nicht anders aus als vorher und fühlte mich auch nicht anders. Doch dieses kleine Plastikteil verkündete die erstaunliche Wahrheit: Ich war eine Mutter. Miranda ist heute elf und steckt voller aus dem Nichts kommenden Fragen. Letzte Woche fragte sie mich, ob ich gerne in die Zukunft sehen können möchte. »Auf keinen Fall!«, antwortete ich. Dieses Wissen würde mich erdrücken wie eine Würgeschlange. Aber wollte ich vor elf Jahren wissen, dass sie in meinem Bauch heranwuchs? Auf jeden Fall!

Im Alten Testament war Prophetie in etwa wie ein Schwangerschaftstest. Sie verkündete die Wahrheit über die Gegenwart und die Zukunft – egal wie unvereinbar diese beiden scheinen. Wie ein Schwangerschaftstest in den Händen hoffnungserfüllter Eltern kann Prophetie eine frohe Botschaft überbringen – oder niederschmetternde Nachrichten des Verlusts. Und Gottes Volk hatte beides erlebt. Jahrhunderte vor Jesu Geburt hatten die Propheten gewarnt, dass Gottes Gericht über sie kommen würde, wenn sie nicht umkehrten. Doch sein Volk wollte nicht auf die Propheten hören. Also fiel das Nordreich Israel in die Hände der Assyrer. Nach weiteren prophetischen Warnungen wurde das Südreich Juda von den Babyloniern erobert. In dieser Zeit verkündeten die Propheten die Verheißung, dass Gott eines Tages einen ewigen König senden würde, der sein Volk retten würde – einen König, der sogar besser wäre als Israels größter König, David. Daniel beispielsweise, der im Babylonischen Exil lebte, sah in einer Vision »[einen], der aussah wie der Sohn eines Menschen« und der »mit den Wolken des Himmels« kam. Und Gott selbst »verlieh ihm Macht und Ehre und übergab ihm die Herrschaft. Die Menschen aller Völker, Nationen und Sprachen dienten ihm. Seine Herrschaft ist ewig, sie wird nicht vergehen, sein Reich wird niemals zerstört« (Daniel 7,13–14). Doch wie Eltern, die sich Jahr für Jahr nach einem Kind sehnen, aber nie schwanger werden, hatte Gottes Volk bisher vergeblich gewartet, denn solch ein König wurde nicht geboren.

Als die Perser die Herrschaft von den Babyloniern übernahmen, hellte sich die Lage etwas auf. Die Juden kehrten in ihr Land zurück und bauten ihren Tempel wieder auf, doch sie lebten nach wie vor unter einer heidnischen Fremdherrschaft. Persien wurde dann von den Griechen abgelöst, und Gottes Volk lebte unter einer Reihe regionaler griechischer Dynastien, die die Verbreitung der griechischen Kultur und Religion förderten. Zum Schluss wurde den Juden verboten, ihren Glauben auszuleben, und der Tempel in Jerusalem wurde zu einem Ort der Anbetung heidnischer Götter umfunktioniert. Das war ein absoluter Tiefpunkt für Gottes Volk. Doch diese niederschmetternde Entwicklung fachte einen Aufstand an, und schließlich konnten sich die Juden wieder selbst verwalten. Im Jahr 164 v. Chr. wurde der Tempel rituell gereinigt, und die täglichen Opfer wurden wieder aufgenommen – ein Ereignis, das die Juden noch heute als Chanukka feiern. Es sah nach einem Neuanfang aus. Zum ersten Mal seit Jahrhunderten lebte Gottes Volk nicht mehr unter heidnischer Herrschaft, und 100 Jahre lang regierte eine einzige Familie. Vielleicht erfüllten sich Gottes Verheißungen endlich tatsächlich! Doch es gab immer noch keinen ewigen König, und ab der zweiten Generation ergaben sich erhebliche interne Unruhen.

Bemerkenswerterweise war der letzte Monarch dieser Dynastie, der erfolgreich regierte, eine Frau: Königin Salome Alexandra. Ihr Mann, König Alexander Jannäus, hinterließ ihr den Thron, als er starb, und sie herrschte von 75 bis 67 v. Chr. Die Jahre der Regierung von Königin Salome Alexandra waren Jahre des Wohlstands und der erneuten Religionsausübung. Doch nach ihrem Tod entriss einer ihrer Söhne seinem Bruder den Thron. Der Bürgerkrieg, der darauf folgte, endete erst 63 v. Chr., als der römische General Pompejus Jerusalem eroberte und aus dem Tempel einen profanen Ort machte. Und wieder war Gottes Volk einer fremden, heidnischen Herrschaft unterworfen.

Es hätte schlimmer laufen können. Die Juden durften anbeten, wie sie wollten, und 37 v. Chr. ernannten die Römer einen offiziellen König der Juden: Herodes den Großen. Er führte eine umfassende Renovierung des Tempels durch. Doch Herodes war selbst kein Jude, und er war bloß eine Marionette des Römischen Kaiserreichs. Jeglicher Versuch, sich dieser Obermacht zu widersetzen, wurde ausgetreten wie ein Zigarettenstummel. Das war die deprimierende Welt, in die ein jüdisches Mädchen namens Maria hineingeboren wurde.

Wir wissen nicht viel über Marias Hintergrund, außer dass sie relativ arm war, dass sie mit einem Mann namens Josef verlobt war und dass sie in Nazareth, einem kleinen Dorf im galiläischen Hinterland, lebte. So weit, so unscheinbar. Doch diese Maria von Nazareth war die Frau, zu der Gott einen Engel sandte, der ihr prophezeite, dass Gottes uralte Verheißungen sich nun endlich erfüllten.

Der Engel Gabriel fing an: »Sei gegrüßt, du mit hoher Gunst Beschenkte!« (Lukas 1,28). Maria lebte in dem Wissen, dass sie niemand Besonderes war, doch nun stand ein Engel vor ihr, der das Gegenteil behauptete. Daraufhin »erschrak« sie (Vers 29). Der Engel fuhr fort:

> »Hab keine Angst, Maria! Gott hat dich mit seiner Gunst beschenkt. Du wirst schwanger werden und einen Sohn zur Welt bringen, den du Jesus nennen sollst. Er wird große Autorität haben und Sohn des Höchsten genannt werden. Gott wird ihn die Königsherrschaft seines Stammvaters David weiterführen lassen. Für immer wird er die Nachkommenschaft Jakobs regieren, und seine Herrschaft wird nie mehr zu Ende gehen.« (Lukas 1,30–33)

Der Prophet Jesaja hatte von einem König gesprochen, der geboren werden sollte, um auf ewig den Platz auf dem Thron Davids einzunehmen (Jesaja 9,6–7). Micha hatte von einem Regenten gesprochen, der in Davids Heimatstadt Bethlehem geboren werden und bis an die Enden der Erde Frieden bringen würde (Micha 5,2–5). Die Nachricht, die der Engel Gabriel nun einem jungen Kleinstadtmädchen überbrachte, war wie eine brennende Fackel, die in der Dunkelheit entfacht wurde, wie ein Lied der Hoffnung inmitten des Stöhnens der leidenden Juden. Es war ein Ruf zu den Waffen mit der Aussicht auf einen unbestreitbaren Sieg. Gottes langersehnter König war auf dem Weg zu seinem Volk. Sein Name würde Jesus lauten, was bedeutet: »Der Herr rettet«, und er würde Marias Sohn sein.

SOHN GOTTES

Sichtlich von Gabriels Worten erschüttert, stellte Maria eine Frage praktischer Natur: »Wie wird das geschehen? Ich habe ja noch nie mit einem Mann geschlafen« (Lukas 1,34). Vielleicht dachte sie, ihr Verlobter Josef würde der Vater werden. Aber Gabriel lässt die nächste Bombe platzen:

> »Der Heilige Geist wird über dich kommen, die Kraft des Höchsten wird dich überschatten. Deshalb wird das Kind, das du zur Welt bringst, heilig sein und Sohn Gottes genannt werden.« (Lukas 1,35)

Selbst eine gewöhnliche Empfängnis fühlt sich an wie ein Wunder. Ich erinnere mich, wie ich auf die Linien des Schwangerschaftstests starrte und versuchte, mir das Unvorstellbare vorzustellen, nämlich dass ein ganzes neues Leben in meinem Bauch zaghaft Gestalt annahm. Als ich Mirandas ersten Tritt spürte, hielt ich mir immer wieder die Tatsache vor Augen, dass sie jemand anders war – und doch in mir drin lebte. Es war einfach unglaublich. Aber das, was Maria erlebte, war etwas ganz anderes. Der Engel sagte, dass der Heilige Geist Gottes – der Geist, der vor der Schöpfung über dem Nichts schwebte und große Könige und Propheten inspiriert hatte – sie überschatten würde und dann der Sohn von Gott selbst in ihrem Bauch heranwachsen, sich recken und strecken und sie treten würde. Wir haben uns so an die Behauptung gewöhnt, dass Jesus der Sohn Gottes ist, dass es uns schwerfällt, zu begreifen, wie verrückt diese Nachricht klang. Es wurden zwar Geschichten darüber erzählt, dass griechische und römische Götter menschliche Frauen geschwängert haben sollen. Doch der Gott des Alten Testaments war nicht im Entferntesten so wie diese heidnischen Gottheiten. Er war völlig transzendent, der allein wahre Schöpfer aller Dinge; der eine, den kein Mensch ansehen konnte, ohne zu sterben; der Gott, der, als er nach seinem Namen gefragt wurde, antwortete: »Ich bin, der ich bin« (2. Mose 3,14). Natürlich hatten Gottes Propheten den verheißenen ewigen König mit Begriffen dargestellt, die über das Menschliche hinausgingen. Doch dass er *buchstäblich* der Sohn Gottes sein würde, muss in den Ohren von Juden aus dem ersten Jahrhundert schockierend geklungen haben. Maria hätte dafür geächtet oder sogar zu Tode gesteinigt werden können, dass sie unverheiratet schwanger geworden war. Zu sagen: »Keine Sorge, der Vater des Kindes ist der große Ich

BIN«, hätte ihr zu dieser bereits bestehenden Anklage lediglich noch eine weitere wegen Gotteslästerung eingehandelt. Doch Maria antwortete sofort mit gehorsamem Glauben: »Ich gehöre ganz dem Herrn. Was du gesagt hast, soll mit mir geschehen« (Lukas 1,38).

JESUS EMPFANGEN

Wie sehen wir Jesus in diesem Moment durch Marias Augen? Wir sehen ihn als den ewigen Sohn Gottes, den verheißenen König, den großen »ICH BIN«, der Mensch geworden ist. Durch Marias Augen sehen wir auch das lebensumwerfende Geschenk, Jesus zu empfangen, und erkennen, dass er nur von denen empfangen werden kann, die wissen, dass sie nicht mehr sind als Diener Gottes. Natürlich stecken wir nicht in Marias Schuhen und können uns nur schwer in ihre Lage hineinversetzen. Du und ich sind nicht dazu berufen, die Mutter von Gottes einzigem Sohn zu sein. Sie trug in ihrem Bauch den Einen, der jeden Bauch erschaffen hat. Sie stillte den, durch den alles Leben auf der Erde entstanden ist. Sie zog den groß, der die Sterne geformt hat. Und doch erkennen wir, wenn wir Jesus durch die Augen seiner Mutter sehen, wie Gott gewöhnliche Menschen dazu gebraucht, seine auserwählten Vertreter in dieser Welt zu sein. Wenn du und ich Jesus aufnehmen, dann wird aus unserem eintönigen Leben das pulsierende Zentrum eines Wunders – egal wie wenig es sich manchmal danach anfühlt.

Vergangenes Weihnachten hat sich meine Tochter Eliza eine Uhr gewünscht, die ihre Schritte zählt – wie die, die ich hatte. Im Verlauf des Dezembers erinnerte sie mich immer wieder daran, die Uhr zu besorgen. Ich hatte sie zwar schon gekauft, aber ich ließ mir nichts anmerken in der Hoffnung, dass sie an Weihnachten wenigstens ein bisschen überrascht sein würde. Als Eliza ihr Geschenk auspackte, war sie begeistert. Es war genau das, was sie sich gewünscht hatte! Doch als sie die Box öffnete, fand sie sie leer. Ich hatte versehentlich die leere Box von der Uhr eingepackt, die ich mir einige Monate zuvor gekauft hatte. Eliza dachte, ich wollte ihr einen Streich spielen. Vielleicht entspricht das genau dem, wie du dich heute fühlst. Du willst glauben, dass Gott dich liebt, und auf seine Versprechen vertrauen, aber das Leben fühlt sich an wie eine ausgepackte Geschenkbox ohne Inhalt. Vielleicht fragst du dich, ob Gott da ist oder ob du ihm wirklich etwas bedeutest. Doch genau so, wie absolut unfassbar es Maria vorgekommen sein muss, dass Gottes jahrhundertealte Versprechen sich nun in ihr erfüllten, ist es auch bei uns: Wenn wir unsere Hoffnung auf Jesus setzen, sind wir – egal wie leer du oder ich uns heute fühlen – in Wahrheit unvorstellbar von Leben und Liebe erfüllt.

Seit dem Zeitpunkt der Empfängnis Jesu war Marias Leben paradox: Sie gab *dem* Leben, durch den alles Leben geschaffen wurde (Johannes 1,3). Und wenn wir heute unser Vertrauen auf Jesus setzen, werden auch unsere Leben paradox: Wir gehören hier auf Erden dann zum Leib dessen, der die Erde mitsamt *unseren* Leibern gemacht hat. Wir sind seine Hände und Füße, seine Arme und sein Mund.

Während wir durch die Augen Marias schauen, sehen wir auch, was es kostet, Jesus zu empfangen. Das Entbinden selbst kostet schon viel. Ein Neugeborenes Tag und Nacht zu stillen, ist ein andauernder Akt aufopfernder Liebe. Trotz der Freude darüber, mein erstes Kind in den Armen zu halten, musste ich in den ersten Tagen und Wochen von Mirandas Leben immer wieder weinen. Alles tat mir weh. Ich konnte nicht schlafen. Ich machte mir unglaublich viele Sorgen um sie und hatte Angst, dass sie einschlafen und nicht mehr aufwachen könnte, während ich mich gleichzeitig nach den Zeiten sehnte, wo sie endlich einschlief. Ich fühlte mich, als hätte ich mein Leben verloren, indem ich ihres gewann. Ich liebte sie. Und sie richtete mich zugrunde. Für Maria vor zwei Jahrtausenden war aber jedes Risiko ein Mehrfaches von alldem, z. B. das Risiko, dass sie selbst bei der Entbindung oder ihr Neugeborenes im Kleinkindalter sterben könnte. Doch Maria riskierte mit Jesus mehr, als sie mit einem anderen Kind riskiert hätte. Sie riskierte ihren Ruf, ihre Eheaussichten, ihr soziales Umfeld und sogar ihr Leben, als sie Gabriel antwortete: »Ich gehöre ganz dem Herrn. Was du gesagt hast, soll mit mir geschehen« (Lukas 1,38).

Die Berichte von Lukas und Matthäus lesen sich nicht so, als hätte Maria ihrem Verlobten erzählt, dass sie mit dem Sohn Gottes schwanger war. Josef erfuhr es später durch einen Engel (Matthäus 1,18–21). Doch nachdem Gabriel wieder verschwunden war, eilte Maria zu der einen Person, die ihre Situation vielleicht verstehen würde: ihrer älteren Verwandten Elisabet, die etwa 150 Kilometer Richtung Süden wohnte.

ELISABET

Elisabet und ihr Ehemann Zacharias sind die ersten beiden Menschen, denen wir im Lukasevangelium begegnen. Zacharias war ein Priester, und Elisabet »stammte aus dem Priestergeschlecht Aarons« (Lukas 1,5), also ebenfalls aus einer Priesterfamilie. Lukas teilt uns mit: »Beide führten ein Leben in Verantwortung vor Gott und richteten sich in allem nach den Geboten und Anweisungen des Herrn. Sie waren kinderlos geblieben, weil Elisabet keine Kinder bekommen konnte. Und nun waren beide schon alt geworden« (Verse 6–7). Andauernde Unfruchtbarkeit kann unglaublich schmerzhaft sein. Von meinen Freundinnen, die das erlebt haben, weiß ich von all den Gefühlen, die es an den Tag bringen kann, und vor allem, wie schwer es ist zu sehen, wie alle anderen um sie herum Kinder bekommen und sie selbst die Hoffnung immer mehr verlieren. Keine Kinder zu haben, war für Zacharias und Elisabet noch viel vernichtender in einer Kultur, in der es für Frauen als Schande galt, unfruchtbar zu sein. Doch sechs Monate bevor der Engel Gabriel dem Mädchen aus Nazareth erschienen war, war er auch Zacharias erschienen, während dieser gerade im Tempel seinen Dienst verrichtete, und hatte ihm gesagt, dass Elisabet einen Sohn namens Johannes bekommen würde, der »von Mutterleib an mit dem Heiligen Geist erfüllt sein« würde (Lukas 1,15). Als Gabriel Maria besuchte, war Elisabet bereits im sechsten Monat schwanger. Gabriels letzte Worte an Maria lauteten: »[A]uch deine Verwandte Elisabet ist noch in ihrem Alter schwanger geworden und erwartet einen Sohn. Von ihr hieß es ja, sie könne keine Kinder bekommen. Und jetzt ist sie schon im sechsten Monat. Denn kein Wort, das von Gott kommt, ist ohne Kraft« (Verse 36–37).

Die erste Geschichte im Lukasevangelium handelt von Gabriels Begegnung mit Zacharias, was zu der Annahme führen könnte, dass Gott seine jahrhundertealten Versprechen durch den Sohn von Zacharias und Elisabet erfüllen würde. Immerhin beginnt die Geschichte der Juden mit einem Versprechen an einen alten, kinderlosen Mann namens Abraham mit seiner Frau Sarah (1. Mose 12,2–3). Doch anstatt dass Zacharias in Abrahams Fußstapfen tritt, ist es Maria, deren Sohn der Verheißene ist. Als Abrahams Sohn Isaak geboren wurde, war die Zukunft von Gottes gesamtem Volk in ihm als Säugling verkörpert. Als

Maria Jesus bekam, verkörperte auch dieser Gottes Volk. Jesus ist der Auserwählte, in dem Gott selbst, Gottes Volk und Gottes Versprechen zusammenfinden. Doch Zacharias' und Elisabets Baby, später bekannt als Johannes der Täufer, spielte auch eine entscheidende Rolle: Jesus identifizierte Johannes als den Propheten Elia aus dem Alten Testament, der gesandt war, um den Weg für den verheißenen Messias zu bereiten (Matthäus 11,14). Doch bevor Johannes alt genug war, um zu sprechen, und als Zacharias noch stumm war, richtete Elisabet prophetische Worte an Maria.

Lukas hätte diese Szene mit Maria und Elisabet leicht auslassen können, ohne in der Erzählung eine Lücke zu lassen. Doch er räumt uns die Möglichkeit ein, von *beiden* Frauen prophetische Worte zu hören – Worte, die über Jahrhunderte hinweg nachhallen –, weil Maria und Elisabet nicht nur die biologischen Mütter von Jesus und Johannes sind. Sie treten auch eigenständig als Prophetinnen auf. Wenn es darum geht, dass allein Frauen die Fähigkeit haben, Kinder zu gebären, ist es nicht schwer, einen von zwei Fehlern zu machen: Entweder bewertet man das Kindergebären über, als sei es der Hauptgrund, warum es Frauen überhaupt gibt, oder man bewertet es unter, als sei es nichts Besonderes, neues Leben zur Welt zu bringen. Die Vollbildansicht, die Lukas uns von diesen beiden schwangeren Frauen vermittelt, hilft uns, von keiner der beiden Seiten vom Pferd zu fallen.

Als Maria am Haus von Elisabet ankommt, löst ihre Stimme eine Kettenreaktion aus. Zuerst hüpft der ungeborene Johannes in Elisabets Bauch. Dann wird Elisabet »mit dem Heiligen Geist erfüllt« (Lukas 1,41). Im Alten Testament wurden große Anführer von Gottes Volk oder große Propheten zuweilen mit dem Geist erfüllt (z. B. 4. Mose 27,18; Hesekiel 2,2; Micha 3,8). Später im Verlauf der Erzählung wird auch Zacharias »mit dem Heiligen Geist erfüllt« werden und prophezeien (Lukas 1,67). Doch hier ist es Elisabet, die geisterfüllt ist, und ihr offenbart Gott, wer Jesus ist. Als sie Marias Begrüßung hört, ruft sie laut:

> »Dich hat Gott mehr gesegnet als alle Frauen, und gesegnet ist das Kind in deinem Leib! Welche Ehre, dass die Mutter meines Herrn mich besucht! Als ich deinen Gruß vernahm, hüpfte das Kind vor Freude in meinem Leib. Wie glücklich

bist du, dass du geglaubt hast! Denn was der Herr dir sagen ließ, wird sich erfüllen.« (Lukas 1,42–45)

Maria muss Elisabet die Neuigkeiten gar nicht erzählen. Elisabet kennt sie schon. Der Heilige Geist hat ihr offenbart, was Gabriel Maria gesagt hat. Sie weiß, dass Maria ihren Herrn in sich trägt und dass Maria Gottes Versprechen an sie geglaubt hat. Im Alten Testament sprach Gott manchmal durch weibliche Propheten.[2] Nun verleiht Gott Elisabet die Gabe der Prophetie, damit sie, wenn auch nur ansatzweise, erkennen kann, wer Jesus ist, bevor er überhaupt geboren wird. Zeitlich gesehen sind diese die ersten von einem Menschen gesprochenen prophetischen Worte der Bibel seit dem Propheten Maleachi vier Jahrhunderte zuvor.

Als eine deutlich ältere, verheiratete Frau hat Elisabet eigentlich einen höheren sozialen Status als Maria. Doch Jesus verändert alles. Dies ist Elisabets Sternstunde. Die mit ihrer Unfruchtbarkeit verbundene kulturelle Scham ist von ihr genommen. Sie ist mit einem Propheten schwanger und vom Heiligen Geist erfüllt. Und was sagt sie? Worte, die sie selbst zurücktreten lassen und ihre jüngere Verwandte erhöhen. Durch Elisabets Augen betrachtet, erkennen wir, dass Jesus unser Herr ist, auch wenn es nicht im Entferntesten danach aussieht. Jesus hat noch die Form eines Embryos und ist dem menschlichen Auge noch verborgen. Er hat keinerlei irdische Kraft. Doch die vom Heiligen Geist erfüllte Elisabet weiß es besser. Sie weiß, dass sie in der Gegenwart ihres Herrn ist.

GOTT LOBEN

Bis zu diesem Punkt im Lukasevangelium hat Maria nur zwei Sätze gesprochen. Lukas hält sich noch zurück, damit die nachfolgende Rede eine noch viel stärkere Wirkung hat. Als Reaktion auf die unerwartete Prophetie von Elisabet drückt sich Maria nun in einer der längsten und kraftvollsten Reden der gesamten Evangelien aus, abgesehen von den Reden von Jesus selbst:

2 Zum Beispiel Debora (Richter 4,4) und Hulda (2. Könige 22,14–20; 2. Chronik 34,22–28).

»Meine Seele staunt über die Größe des Herrn,
und mein Geist freut sich über Gott, meinen Retter!
Seiner geringsten Sklavin hat er Beachtung geschenkt!
Noch künftige Generationen werden mein Glück preisen!
Heilig ist der Mächtige,
der Großes an mir getan hat!
Sein Erbarmen gilt jedem, der sich ihm unterstellt,
in jeder Generation.
Hoch hebt er seinen gewaltigen Arm
und fegt die Hochmütigen weg.
Mächtige stürzt er vom Thron,
und Geringe setzt er darauf.
Hungrige macht er mit guten Dingen satt,
und Reiche schickt er mit leeren Händen fort.
Und Israel, sein Kind, nimmt er selbst an die Hand
und schenkt ihm seine Barmherzigkeit,
denn so hatte er es für immer versprochen
dem Abraham und seiner ganzen Nachkommenschaft.«
(Lukas 1,46–55)

Maria erkennt ihren Platz in dem großen Bogen von Versprechen, den Gott seit Abraham gespannt hatte. Sie erkennt ihr außerordentliches Privileg und dass alle Generationen sie glücklich preisen werden. Doch anstatt sich auf sich selbst zu fokussieren, sprudelt Maria nur so über vor Lobpreis Gottes. Ihre Rede ist wie ein wunderschöner Teppich, gewebt aus vielen alttestamentlichen Fäden. Doch vor allem erinnern ihre Worte an die Rede einer Mutter aus dem Alten Testament, die eine der herausragendsten Reden äußert, die je ein Mensch in der Bibel gehalten hat.

Wie Elisabet war auch Hanna unfruchtbar. Doch sie bat Gott um ein Kind, und er schenkte ihr einen Sohn, Samuel, der eines Tages ein Prophet sein würde. Hannas Dankgebet für die Geburt Samuels beginnt ähnlich wie das von Maria: »Mein Herz jauchzt in dem Herrn« (1. Samuel 2,1). Wie Maria fährt Hanna fort, indem sie den Gott der großen Umkehrungen lobt:

> »Die Bogen der Helden zerbrechen, doch die Schwachen gürten sich mit Kraft. Die Satten arbeiten jetzt für ihr Brot, und die Hungrigen ruhen sich aus. […] [Jahwe] hebt den Geringsten aus dem Staub, holt den Armen aus dem Schmutz, um ihn unter die Edlen zu setzen.« (1. Samuel 2,4–5.8a; vgl. Lukas 1,51–53)

Doch, was noch viel bedeutender ist: Hannas Rede endet mit einer direkten Prophetie über den Christus, den von Gott verheißenen König: Hanna schließt mit »Über die ganze Erde hält Jahwe Gericht. Seinem König verleiht er Macht, er stärkt und erhöht seinen Gesalbten« (1. Samuel 2,10). Das mit »Gesalbter« übersetzte Wort wird an dieser Stelle zum ersten Mal in den hebräischen Schriften für den »Messias« verwendet, als direkte Prophetie über den von Gott eingesetzten König. Das Wort »Christus« ist die griechische Form dieses Wortes. Hannas Prophetie erfüllte sich zum ersten Mal, als ihr Sohn Samuel die ersten Könige Israels, Saul und David, salbte. Doch die endgültige Erfüllung von Hannas Prophetie ist Jesus selbst. Hanna ist die erste, die direkt über den gesalbten König des Herrn aufklärt. Maria ist die Erste, die über seine Identität erfährt. Wenn wir Jesus durch das uralte Teleskop der Prophetie Hannas sowie durch die Augen Marias anschauen, sehen wir den, der alle menschliche Macht konterkariert, der die Demütigen erhöht und die Mächtigen demütigt, der der Retter seines Volkes ist und der seine Barmherzigkeit in Verbindung mit seiner Macht demonstriert.

GEBURT

Ich habe schon drei Kinder zur Welt gebracht. All die Bequemlichkeiten eines modernen Krankenhauses mitsamt PDA – und doch war es eine absolut schmerzhafte und entwürdigende Erfahrung. Der Schmerz, das Blut und die Entblößung, die damit einhergehen, einen neuen Menschen auf die Welt zu bringen, sind unumgänglich – egal auf wie viele Gymnastikbälle und Meditationsübungen du zurückgreifst. Aber vor 2000 Jahren in Armut ein Kind zur Welt zu bringen, war eine ganz andere Hausnummer. Es bestand für die Frau ein erhebliches Sterberisiko, und noch dazu brachte Maria Jesus weit weg von zu Hause zur Welt, ohne die grundlegendsten Annehmlichkeiten. Jesus wurde in Bethlehem geboren, dem Geburtsort von König David, allerdings nicht mitten in königlichem Prunk, sondern in Armut. Die Geschichte ist bekannt: Maria »wickelte ihn in Windeln und legte ihn in eine Krippe, weil kein Platz für sie im Gastzimmer war« (Lukas 2,7). Maria prophezeite, dass der Herr durch Jesus die Armen erhöhen und die Reichen erniedrigen würde (1,52–53). Als sie Jesus in einen umfunktionierten Futtertrog legte, wurde sie Zeugin des Dreh- und Angelpunktes dieser Umkehrung: des größten Königs der Menschheitsgeschichte, eingewickelt in ihre Armut.

Jesu Geburt in Armut ist kein Versehen. Sie ist ein Zeichen. In dieser Nacht erscheint ein Engel einigen Hirten in der Gegend, die genau wie Jesus arm und von niedrigem gesellschaftlichen Status sind. Der Engel sagt ihnen:

> Fürchtet euch nicht! Hört doch! Ich bringe euch gute Nachricht von einer großen Freude für das ganze Volk. Denn euch ist heute in Davids Stadt ein Retter geboren worden. Es ist Christus, der Herr. Ihr werdet ihn daran erkennen, dass ihr ein Kind findet, das in Windeln gewickelt in einer Krippe liegt. (Lukas 2,10–12)

Jesu Geburt ist eine gute Nachricht von einer großen Freude für das ganze Volk! Doch es sind genau diese verrufenen Hirten, denen die göttliche Botschaft überbracht wird – nicht die religiösen oder politischen Anführer. Nachdem die Hirten »Maria und Josef und auch das Kind, das in der Krippe lag«, finden, erzählen sie die Botschaft der Engel jedem, der sie hören will (Verse 16–18). Doch Lukas betont vor allem Marias Reaktion: »Maria aber bewahrte das Gehörte in ihrem Herzen und dachte immer wieder darüber nach« (Vers 19). Wie sehen wir Jesus in diesem Moment durch Marias Augen? Wir sehen ihn als den, durch den Gottes Versprechen sich jetzt schon erfüllen. Wir sehen, dass es kein Versehen war, dass in der Herberge kein Platz war, sondern eine Botschaft. Jesus kam zuerst für die Armen und die gesellschaftlichen Randfiguren. Doch er ist auch ein Retter für das ganze Volk: für Reich und Arm, Mann und Frau, Jung und Alt. Und während Maria lernt, wie sie ihren Sohn stillen soll, lernt sie auch, wer ihr Kind wirklich ist: »ein Retter […]. […] Christus, der Herr« (Vers 11).

OPFER UND SCHWERT

Eine der Begleiterscheinungen des Kindergebärens sind wochenlange Blutungen. Das ist alles andere als glamourös. Das alttestamentliche Gesetz sah eine bestimmte Zeitspanne vor, die es einer Mutter erlaubte, sich von der Geburt zu erholen, bevor sie ihren Säugling nach Jerusalem in den Tempel brachte. Als Maria und Josef den sechs Wochen alten Jesus zum Tempel bringen, um das bei Erstgeborenen vorgeschriebene Opfer darzubringen, wird ihre Armut erneut sichtbar, da sie das für finanziell Benachteiligte vorgesehene Opfer darbringen: »ein Paar Turteltauben oder zwei junge Tauben« (Lukas 2,24). Doch die Armut kann nicht verschleiern, wer Jesus ist. Lukas erzählt uns von einem Mann namens Simeon. Dieser »kam […], vom Geist Gottes geführt, gerade in den Tempel«, nahm Jesus auf den Arm und lobte Gott (Verse 27–28). Ihm war gesagt worden, dass er nicht sterben würde, »bevor er den vom Herrn gesandten Messias gesehen habe« (Vers 26). Und nun war dieser Moment gekommen. Doch nachdem er Gott gelobt und Maria und Josef gesegnet hat, richtet Simeon besonders an Maria die folgenden besorgniserregenden Worte: »Er ist dazu bestimmt, dass viele in Israel an ihm zu Fall kommen und viele durch ihn aufgerichtet werden. Er wird ein Zeichen Gottes sein, gegen das viele sich auflehnen werden – so sehr, dass der Kummer deine Seele wie ein Schwert durchbohren wird. Doch so kommt an den Tag, welche Gedanken in ihren Herzen sind« (Verse 34–35).

Gabriel sagte Maria, dass sie von Gott mit hoher Gunst beschenkt war. Elisabet nannte sie »mehr gesegnet als alle Frauen«. Doch Simeons Worte müssen wie ein tiefer Stich gewirkt haben. Ein Schwert würde ihre Seele durchdringen? Maria hatte bereits in der Gefahr gestanden, verstoßen zu werden. Sie hatte bereits die Schmerzen des Kindergebärens und die dazugehörigen Nachwehen durchgestanden. Doch dieser gesegnetsten aller Frauen stand noch mehr Leid bevor. Wenn wir Jesus in diesem Augenblick durch die Augen von Maria ansehen, sehen wir, dass die Nähe zu Jesus auch Leidensbereitschaft bedeutet. Als sie Simeon zuhört, erhält sie einen kleinen Einblick in die Zukunft. Jesus würde Widerstand erleben, und ihr Herz würde durchstochen werden. Doch während Maria diese Worte verarbeitet, sendet Gott eine Prophetin, die ihr wieder Mut machen soll.

HANNA, DIE PROPHETIN

Ich habe dieses Kapitel mit »Prophetie« überschrieben. Vielleicht denkst du, dass es weit hergeholt ist, diese Bezeichnung für die Worte aus Marias und Elisabets Mund zu verwenden. Doch als Lukas seine Erzählung der Geschehnisse rund um die Geburt Jesu beendet, stellt er uns noch eine Frau vor, die er ausdrücklich eine Prophetin nennt:

> Damals lebte auch eine alte Prophetin in Jerusalem. Sie hieß Hanna und war eine Tochter Penuëls aus dem Stamm Ascher. Nur sieben Jahre war sie verheiratet gewesen und war jetzt eine Witwe von 84 Jahren. Sie verließ den Tempel gar nicht mehr und diente Gott Tag und Nacht mit Fasten und Beten. Auch sie kam jetzt dazu und lobte Gott. Und zu allen, die auf die Erlösung Jerusalems warteten, sprach sie über dieses Kind. (Lukas 2,36–38)

Hanna teilt ihren Namen mit einer einzigen anderen Frau in der Bibel: der Mutter von Samuel. Der Name war damals recht ungewöhnlich, sodass die Übereinstimmung Juden des ersten Jahrhunderts sofort aufgefallen sein muss.[3] Wie die Hanna aus dem Alten Testament ist auch diese Hanna für ihr unablässiges Gebet bekannt. Die eine Hanna hatte über den Messias prophezeit, durch den der Herr die Enden der Erde richten würde, und die andere Hanna kam, um über dem Messias zu prophezeien, der nun endlich geboren war. Die neutestamentliche Hanna bindet die Fäden des Teppichs, den Maria aus den Worten der alttestamentlichen Hanna webte, nun zusammen.

Hanna ist eine betagte Witwe – die Art Frau, die in unserer Gesellschaft heute viel zu oft übersehen wird. Den Großteil ihres Lebens hat sie als Alleinstehende verbracht, und sie hat sich vollkommen dem

3 Richard Bauckham zeigt auf: »Von den 247 mit Namen bekannten jüdischen Frauen, die in der Zeit zwischen 330 v. Chr. und 200 n. Chr. in Palästina lebten, ist diese Hanna die einzige, die diesen Namen trägt.« Bauckham, *Gospel Women*, 92.

Herrn hingegeben: Tag und Nacht lobt sie Gott und betet. Bemerkenswert dabei ist, wie viele Hintergrundinformationen Lukas uns über sie verrät. Er teilt uns den Namen von Hannas Vater sowie ihre Abstammung aus dem »Stamm Ascher« (Vers 36) mit. Das ursprüngliche Gebiet von Hannas Stamm war in den westlichen Hügeln von Galiläa gelegen. Doch der Stamm Ascher war im Gericht über das Nordreich Israel fast vollständig ausgelöscht worden. Hanna scheint zu einem Überrest dieses Stammes zu gehören. Als in Jerusalem lebende Prophetin aus einem dezimierten Nordstamm vereint sie somit die zwei historischen Königreiche Israel und Juda. Hanna hat außerdem einen bewegten Abschnitt jüdischer Geschichte durchlebt: Mit ihren 84 Jahren war sie in einer Zeit geboren worden, in der sich die Juden selbst verwalteten, und hatte den Wohlstand der Amtszeit von Königin Salome Alexandra miterlebt sowie das vernichtende Ende der jüdischen Souveränität, als die Römer 63 v. Chr an die Macht kamen.

Hanna, die betagte Witwe, gibt ein ganz anderes Bild ab als Maria, die junge Mutter. Jesus anblickend repräsentieren sie die zwei Enden eines Zeitstrahls. Doch beiden Frauen wird vom Herrn etwas über den verheißenen König offenbart, durch den Gott sein Volk schließlich erlösen wird. Hanna sah Jesus »und lobte Gott. Und zu allen, die auf die Erlösung Jerusalems warteten, sprach sie über dieses Kind« (Vers 38). Maria und Elisabet hatten im Privaten prophezeit. Hanna prophezeit öffentlich: im Tempel vor allen, die auf Gottes Rettung warten. Durch ihre Augen sehen wir Jesus als den Erlöser von Gottes Volk, der nicht gekommen ist, um die Selbstständigkeit der Juden wiederherzustellen wie in der Zeit der Königin Salome Alexandra, sondern um eine Erlösung zu bewirken, die etwas viel Größeres sein sollte als politische Autonomie. Hanna ist nicht der erste Mensch, der über Jesus prophezeite. Doch chronologisch gesehen ist sie die erste Person in der Bibel, die seit dem Tod des letzten alttestamentlichen Propheten Maleachi vier Jahrhunderte zuvor offiziell als Prophet oder Prophetin bezeichnet wird. Maleachi hatte prophezeit: »Und plötzlich wird der Herr, auf den ihr wartet, zu seinem Tempel kommen. Ja, der Bote des Bundes, den ihr herbeisehnt, wird kommen« (Maleachi 3,1b). Die Prophetin Hanna ist nun Zeugin dieses Kommens des Herrn in seinen Tempel, als der etwa einen Monat alte Jesus in den Armen seiner Mutter dorthin getragen wird. Doch während Hannas Worte von der Erlösung eine Ermutigung darstellen, soll Maria schon bald erleben, wie wahr Simeons beunruhigende Prophetie über den Widerstand war, mit dem Jesus konfrontiert werden würde.

STERNDEUTER UND MORD

Eine meiner frühesten Kindheitserinnerungen ist, als meine Mutter mich zu einer Chorprobe in London mitnahm. Ich erinnere mich noch an die gewaltige Konzerthalle und die traumhaften Stimmen um mich herum, als ich auf der Treppe sitzend auf meine Mutter wartete und alles ehrfurchtsvoll in mich aufsog. An den Refrain des Liedes, das sie einübten, kann ich mich noch erinnern; es begann mit den Worten: »See his star shining bright« (dt.: Seht seinen hell leuchtenden Stern). Die Melodie schnellt auf dramatische und wunderschöne Art und Weise durch mehrere Oktaven, als solle der Klang erklären, wie Himmel und Erde sich bei Jesu Geburt berührten. Die Worte sind inspiriert von Matthäus' Bericht über die weisen Männer aus dem Morgenland, die nach Jerusalem kamen und fragten: »Wo finden wir den König der Juden, der kürzlich geboren wurde? Wir haben seinen Stern aufgehen sehen und sind hergekommen, um ihn zu verehren« (Matthäus 2,1–2).

Das Kommen der Weisen begab sich wahrscheinlich einige Monate nach Jesu Geburt, und obwohl sie offensichtlich sehr gebildet waren, erstreckte sich die Weisheit dieser Männer anscheinend nicht auf die Politik. Denn wenn sie sich in diesem Bereich ausgekannt hätten, hätten sie wissen müssen, dass es besser war, Herodes, dem damaligen König der Juden, aus dem Weg zu gehen. Herodes fragt die Hohepriester und Schriftgelehrten, wo der Christus geboren werden solle. Sie antworten: »In Bethlehem in Judäa«, und verweisen auf eine Prophetie von Micha (Verse 4–5; Micha 5,1). Daraufhin schickt Herodes die Weisen unter dem Vorwand nach Bethlehem, auch er wolle dem neuen König Ehre erweisen.

Die Sterndeuter gehen vor Jesus auf die Knie: »Sie gingen in das Haus und fanden das Kind mit seiner Mutter Maria. Da warfen sie sich vor ihm nieder und beteten es an. Dann holten sie ihre mitgebrachten Schätze hervor und legten sie dem Kind hin: Gold, Weihrauch und Myrrhe« (Matthäus 2,11). Für Maria muss sich dieser Besuch wie eine

Bestätigung der Dinge anfühlen, die der Engel ihr versprochen hatte. Ihr Junge wird dieses Mal nicht von Hirten verehrt, sondern von wohlbetuchten, hochgebildeten Männern aus einem fremden Land. Doch als diese wieder aufbrechen, zeigt sich die düstere Realität der Vorwarnung Simeons. Bei dem Versuch, Jesus zu beseitigen, ordnet Herodes die Tötung aller Jungen unter zwei Jahren in Bethlehem an. Maria und Josef müssen daraufhin nach Ägypten fliehen (Verse 13–18). Wie sehr Maria sich doch in dieser Gefahr und dieser Zeit des Exils an Hannas Worten festgehalten haben muss! Ja, Jesus ist Gottes verheißener König. Doch seit seiner frühesten Kindheit sieht Maria, wie unterschiedlich er beurteilt wird. Die einen legen eine lange, anstrengende Reise zurück, um Jesus anzubeten, und andere hassen ihn so sehr, dass sie ihn tot sehen wollen.

Nicht lange danach stirbt Herodes. Die Herrschaft über Judäa geht an seinen nicht weniger gefährlichen Sohn über, und Maria und Josef siedeln sich wieder in Nazareth an. Doch vor den Auswirkungen der grausamen römischen Herrschaft ist kein Entkommen. Kurz nach Herodes' Tod zettelt ein Mann namens Judas in der Region einen Aufstand an und nimmt eine Waffenkammer in Sepphoris, einer größeren Stadt etwa sechs Kilometer nördlich von Nazareth, ein. Darauf antworten die Römer entschieden und brutal: Sie brennen Sepphoris nieder, verkaufen die Bewohner in die Sklaverei und kreuzigen etwa 2000 Juden.[4] Das ist die Welt, in der Maria ihren Sohn großzieht – den Sohn, der als der von Gott versprochene König Reiche zerschlagen soll. Es ist eine Welt, in der ein Putschversuch gegen die römische Herrschaft geradewegs zur Kreuzigung führt. Mit diesem beunruhigenden Wissen sieht diese unter allen Frauen am reichsten Gesegnete ihren Sohn aufwachsen. Ja, Gott zeigte ihr Gunst, doch ein Schwert würde eines Tages das Herz dieser Mutter durchstechen.

Die Verwundbarkeit, die mit dem Muttersein verbunden ist, beginnt mit der Schwangerschaft. Während meiner ersten Schwangerschaft habe ich mir jeden Tag Sorgen gemacht, dass sie gleich vorbei sein könnte und ich mein Baby verlieren würde. Meine Kinder sind heute elf, neun und drei Jahre alt. Sie sind gesund, glücklich und – für

4 Der jüdische Historiker Josephus berichtet davon in seinem Buch *Jüdische Altertümer* 17.10.

mich am wichtigsten – sie erkennen Jesus als ihren Herrn an. Aber ich kämpfe noch immer täglich mit Sorgen um ihre Zukunft. Was, wenn sie depressiv werden? Was, wenn ihre Herzen gebrochen werden oder sie bleibende körperliche Schäden erleiden? Was, wenn sie sich – und das ist meine größte Angst – irgendwann von Jesus abwenden? Kinder zu haben, das fühlt sich so an, als schickest du dein Herz ohne den Körper in die Welt hinaus: schutzlos und nicht unter deiner Kontrolle. Wie stark muss Maria diese Angst verspürt haben, wo sie doch wusste, wozu ihr Sohn geboren worden war, und wo sie bereits einen ersten Eindruck des Widerstands bekommen hatte, der ihm entgegenschlagen würde!

ZURÜCK IM TEMPEL

Beim letzten Blick, den wir durch Marias Augen auf Jesu Kindheit erhalten, ist Jesus zwölf Jahre alt. Maria und Josef bringen ihn zum Passahfest wieder mit in den Tempel. Nach dem Fest reist seine Familie mit anderen wieder ab. Aber Jesus nicht. Maria und Josef kommen eine ganze Tagesreise weit, bis sie merken, dass Jesus nicht bei der Gruppe ist. Sie gehen den gleichen Weg zurück und durchkämmen drei Tage lang ganz Jerusalem – ihre Panik muss mit jeder Minute angestiegen sein. Schließlich finden sie Jesus im Tempel, wie er bei den Lehrern sitzt, ihnen zuhört und ihnen Fragen stellt. Lukas schreibt: »Alle, die zuhörten, staunten über sein Verständnis und seine Antworten« (Lukas 2,47). Doch Maria fragt ihn: »Kind, wie konntest du uns das antun? Dein Vater und ich haben dich verzweifelt gesucht« (Vers 48). Jesus antwortet: »Und er sprach zu ihnen: Was ist der Grund dafür, dass ihr mich gesucht habt? Wusstet ihr nicht, dass ich in dem sein muss, was meines Vaters ist?« (Vers 49). Trotz all der Offenbarungen Gottes in Bezug auf Jesus versteht Maria es nicht. In Lukas lesen wir: »Doch sie verstanden nicht, was er damit meinte« (Vers 50). Und wieder einmal »bewahrte [Maria] das alles in ihrem Herzen« (Vers 51).

Wenn ich in diesem Moment durch Marias Augen schaue, sehe ich meine eigene Unzulänglichkeit. Maria ist die Erste, die die wunderbare Nachricht über Jesus empfängt. Und doch kann sie nicht begreifen, wer Jesus wirklich ist und wie viel mehr er sein würde als alles, was sie sich vorstellen konnte. Ich weiß, dass Jesus der Sohn Gottes ist. Doch die meiste Zeit gehe ich so durchs Leben, als müsste mir diese Wahrheit nicht in jedem Moment störend vor Augen stehen. Ich lebe so, als könnten meine Pläne ohne Jesus als ihr Mittelpunkt gelingen. Doch Jesus kann nicht einfach am Rande unseres Lebens stehen und sich nur immer dann darin hineinfügen lassen, wenn es uns gerade passt. Entweder ist er der Herr über alles, was wir haben und sind und jemals sein werden – oder er ist es nicht. Wie Maria kann ich ganze Tage ohne Jesus verbringen, ohne es zu merken. Ich kann mich meinen Plänen widmen. Aber dann muss ich kehrtmachen. Wenn ich wirklich sehen könnte, wer Jesus ist, wüsste ich, dass jede Sekunde meines Lebens ihm gehört. Wie bei fast all jenen Menschen in den Evangelien, die Jesus nahestanden, sehen wir die Zeiten, in denen Maria nicht erkennt, wer Jesus ist. Und trotzdem sehen wir auch, wie wir in Kapitel 3 untersuchen werden, wie Jesus bei ihr bleibt und bis zum Ende für sie sorgt.

Maria, Elisabet und die Prophetin Hanna führten sehr unterschiedliche Leben. Maria war jung, arm und scheinbar unbedeutend. Elisabet lebte einen Großteil ihres Lebens mit der kulturbedingten Scham und dem persönlichen Kummer ihrer Unfruchtbarkeit. Hanna war früh verwitwet und inzwischen alt. Doch jede von ihnen sprach Worte, die von Gott inspiriert waren und uns zu erkennen helfen, wer Jesus ist. Viel von dem, was wir über Jesu Empfängnis, Geburt und Kindheit wissen, wissen wir nur, weil die Frauen in seinem Umfeld es anderen bezeugt haben. Mögen wir, wenn wir heute durch ihre Augen schauen, Jesus als den sehen, der er wirklich ist: der Sohn Gottes, in Armut geboren, in der Geschichte offenbart und gesandt, um sein Volk zu erlösen und Gottes verheißener ewiger König über alles zu sein.

DISKUSSIONSFRAGEN

Für den Einstieg: Erzähl von einer Situation, in der du aufregende Nachrichten erhalten hast. Wie hast du reagiert? Es kann etwas Großes sein, z. B., dass du hörst, dass du deinen Traumjob bekommen hast, oder etwas Einfaches, z. B., dass die Person vor dir in der Schlange dir einen Kaffee spendiert hat.

1. Wie helfen uns die Ereignisse in der Geschichte Israels bis hin zu den Tagen Marias, die Bedeutung der Ankündigung des Engels Gabriel in Lukas 1,30–33 zu erkennen?
2. Was wissen wir aus den Lebensgeschichten von Maria, Elisabet und Hanna?
3. Frauen haben prophetische Worte über Jesus geäußert. Warum ist das von Bedeutung?
4. Die Bibel beschreibt ein auf den Kopf gestelltes Reich Gottes, das völlig anders ist, als wir es erwarten würden – die Ersten sind die Letzten, die Geringen werden erhöht, und der König kommt, um zu sterben. Wie passt die Geburt Jesu durch Maria in dieses Bild von Gottes Reich?
5. Was war bei den Schwangerschaften von der Hanna im Alten Testament, Maria und Elisabet gleich? Was zeigen sie uns über das Wesen Gottes?
6. Auf welche Arten und Weisen hat Maria Schmerz und Kummer durchgemacht, weil sie Jesus kannte? Welchen Bezug hat ihre Erfahrung zu einem Leben als Christ?
7. Wann hattest du schon einmal mit dem Gefühl zu kämpfen gehabt, dass du unwichtig, übersehen oder ausgegrenzt würdest? Wie können die Geschichten der Frauen in diesem Kapitel dir in deiner Entmutigung Hoffnung spenden?
8. Wie siehst du Jesus durch die Augen dieser Frauen am bedeutsamsten?

Genauer hinsehen: Lies Hannas Dankgebet für die Geburt Samuels in 1. Samuel 2,1–10 und Marias Gebet in Lukas 1,46–55.

1. Welche Gemeinsamkeiten findest du zwischen den Gebeten von Hanna und Maria? Welche Eigenschaften Gottes preisen sie?
2. Welche Prophetie spricht Hanna in 1. Samuel 2,10 aus? Inwiefern ist Marias Gebet ein Zeichen für deren Erfüllung?
3. Hanna und Maria betonen beide Gottes Kraft und Barmherzigkeit. Welche dieser Eigenschaften steht bei dir eher im Fokus? Wie könnte es sich auf deinen Lobpreis auswirken, wenn du Gottes Gnade und Stärke in Ergänzung zueinander betrachten würdest?

KAPITEL 2

JÜNGERSCHAFT

»Warum hatte Jesus keine Jüngerinnen?«

Meine neunjährige Tochter Eliza stellt mir immer die kniffligsten Fragen – schonungslos und eine nach der anderen. Wenn sie mich mit ihren Fragen bestürmt, beginnen meine Antworten regelmäßig mit: »Das weiß ich nicht genau.« Zu meinem Job als Mutter gehört schließlich auch, dass ich ehrlich bin, wenn ich etwas nicht weiß. Aber *dieses* Mal lächelte ich nur und sagte: »Er *hatte* Jüngerinnen.«

In diesem Kapitel werden wir die namentlich genannten Frauen kennenlernen, die zu den Jüngern gehörten, die mit Jesus umherreisten. Dann werden wir zwei Frauen in den Fokus nehmen – Maria und Marta aus Betanien –, die nicht mit Jesus mitreisten und doch zu seinen engsten Nachfolgern gehörten. Wir werden Jesus durch ihre Augen betrachten und ihn dabei als einen jüdischen Rabbi ohnegleichen sehen – einen Lehrer, der von Gott gesandt worden war, um die Welt zu verändern. Aber wir werden auch feststellen, dass man unmöglich behaupten kann, Jesus sei *nur* das gewesen. Ja wir werden sehen, dass, wenn wir sagen, dass Jesus *nur* ein guter Lehrer war, wir genauso gut sagen könnten, dass die Sonne *nur* eine Lichtquelle ist.

JESU JÜNGERINNEN

Die Frage meiner Tochter war berechtigt. Die zwölf Stämme Israels gingen aus den zwölf Söhnen von Abrahams Enkel Jakob hervor, und als Zeichen für einen Neuanfang für das Volk Gottes wählte Jesus zwölf jüdische Männer als seine »Apostel«.[1] Markus beschreibt die Apostel folgendermaßen: »[E]r bestimmte zwölf, die er Apostel nannte. Sie sollten ständig bei ihm sein, und er wollte sie aussenden, damit sie seine Botschaft verkündeten und in seiner Vollmacht die Dämonen austrieben« (Markus 3,14–15). Ab diesem Zeitpunkt bezieht sich Markus, wenn er das Wort »Jünger« verwendet, normalerweise auf diese zwölf Apostel. Doch Lukas erklärt, dass diese zwölf eine Untergruppe von Jesu Jüngerkreis waren. Eines Morgens, nachdem Jesus die Nacht im Gebet verbracht hatte, »rief er seine Jünger zu sich und wählte zwölf von ihnen aus, die er Apostel nannte« (Lukas 6,13). Was ist also mit der größeren Gruppe von Jüngern, die mit Jesus umherzogen? Lukas stellt klar, dass zu dieser größeren Gruppe auch viele Frauen gehörten.

Nachdem er berichtet hat, wie Jesus einer berüchtigten Sünderin vergibt und sie gegenüber einem Mann lobt, der sich selbst für besonders fromm hält, schreibt Lukas:

> In der folgenden Zeit zog Jesus durch viele Städte und Dörfer und verkündigte überall die Freudenbotschaft vom Reich Gottes. Begleitet wurde er von den zwölf Jüngern und von einigen Frauen, die er von bösen Geistern befreit und von Krankheiten geheilt hatte: Es waren Maria aus Magdala, aus der er sieben Dämonen ausgetrieben hatte, Johanna, die Frau Chuzas, eines hohen Beamten von Herodes Antipas, Susanna und viele andere. All diese Frauen dienten Jesus und seinen Jüngern mit ihrem Besitz. (Lukas 8,1–13)

Lukas erwähnt, dass viele der Frauen, die mit Jesus umherreisten, von ihm geheilt worden waren – ob im körperlichen oder im geistlichen Sinn – und dass seine Jüngerinnen seinen Dienst finanziell unterstützten. Das ist keineswegs unbedeutend. Lukas lenkt unseren Blick häufig auf die Armen und auf andere kaum beachtete Menschen. Aber hier erhalten wir einen Blick auf die reichen Frauen, die von Jesus angezogen wurden – die von ihm so ergriffen waren, dass sie ihr Zuhause verließen und ihm folgten, wohin er auch ging. Wie wir in der Einleitung festge-

1 Matthäus 19,28 und Lukas 22,30 machen diese Verbindung deutlich.

stellt haben, nannten die Schreiber der Evangelien Menschen mit Namen, um sie als Augenzeugen zu kennzeichnen. Wahrscheinlich gibt Lukas dadurch, dass er gerade diese drei Frauen namentlich nennt, zu verstehen, dass sie zu den Menschen gehören, auf deren Zeugnis er sich für seinen Bericht über das Leben Jesu stützt.

An erster Stelle steht Maria aus Magdala. Sie ist die bei Weitem bekannteste unter Jesu Jüngerinnen. Sie wird nicht durch die Nennung ihres Mannes oder eines Sohnes von den anderen Marias unterschieden, sondern anhand ihres Heimatortes genauer identifiziert – genauso wie Jesus manchmal »Jesus von Nazareth« genannt wird. Wir wissen nicht, ob diese Maria verheiratet war oder ob sie Kinder hatte. Wir wissen auch nicht, wie sie aussah oder was für eine sexuelle Vergangenheit sie hatte. Die Vorstellung, dass sie eine ehemalige Prostituierte war, kam erst Jahrhunderte nach ihrem Tod auf. Lukas verrät uns lediglich, dass Jesus sieben Dämonen aus ihr ausgetrieben hatte. Maria aus Magdala war von bösen Geistesmächten förmlich aufgerieben worden. Sie ist die Allerletzte, von der wir erwarten würden, dass sie in das Kernteam des Sohnes Gottes aufgenommen werden sollte. Doch Jesus sucht sich gerne die Menschen heraus, die man für besonders unwahrscheinliche Kandidaten hielte. Und so reist diese Maria nicht nur in der Zeit von Jesu Wirken mit ihm mit; sie spielt auch eine entscheidende Rolle als Zeugin von seiner Auferstehung. Einst eine Spielwiese für Dämonen, wird Maria aus Magdala so zu einer Schlüsselfigur in Gottes jeder Ratio widersprechendem Plan zur Veränderung der Welt. Welchen Blick auf Jesus erhalten wir, wenn wir ihn durch ihre Augen sehen? Wir sehen ihn als denjenigen, der ihr Leben vollkommen auf den Kopf gestellt hat – als den, der sie aus der Grube der Dämonen herausgeholt hat und aus ihr eine hingegebene Jüngerin machte.

Die zweite von Lukas genannte Frau, »Johanna, die Frau Chuzas, eines hohen Beamten von Herodes Antipas«, ist heute viel weniger bekannt als Maria aus Magdala. Du könntest dir das Lukasevangelium zehnmal durchlesen und dich trotzdem nicht an sie erinnern. Doch die ersten Leser des Lukasevangeliums werden bei der Erwähnung des Namens Johanna aufgrund ihres Status und ihrer Verbindung zu dem Mann, der Johannes den Täufer inhaftieren und enthaupten ließ, sehr wohl aufgehorcht haben. Dieser Herodes Antipas regierte in der Zeit von Jesu öffentlichem Wirken über Galiläa und war einer der Söhne von Herodes dem Großen, dem König, der bei der Geburt Jesu regierte. Lukas erzählt uns, dass Herodes Antipas Jesus treffen wollte, als er von ihm hörte: »Johannes habe ich enthaupten lassen«, sagt er. »Aber wer ist das, von dem ich solche Dinge höre?« (Lukas 9,9). Woher weiß Lukas, wie Herodes reagierte? Womöglich durch Johanna. Als hoher Beamter von Herodes Antipas bekleidete Chuza eine bedeutende Stellung am Hof. Seine Frau war sicherlich beim Klatsch und Tratsch dort auf dem Laufenden, und die Tatsache, dass sie die Vorzüge des Lebens am Königshof hinter sich ließ, um mit einem umstrittenen Rabbi umherzuziehen, muss für eine Menge Aufregung gesorgt haben.[2]

Johannas Entscheidung, Jesus nachzufolgen, war sogar schlichtweg gefährlich. Herodes wunderte sich zwar über Jesus, doch er wollte ihn auch töten (Lukas 13,31). Nach der Gefangennahme Jesu sendet der römische Statthalter Pilatus diesen zu Herodes, und Lukas schreibt: »Herodes freute sich sehr, als er Jesus sah, denn er wollte ihn schon lange einmal kennenlernen. Er hatte viel von ihm gehört und hoffte nun, eines seiner Wunder mitzuerleben« (23,8). Doch Jesus antwortete Herodes nicht und zog auch keine Show ab, und so lesen wir kurz danach: »Schließlich begannen Herodes und seine Soldaten, Jesus zu verhöhnen. Sie trieben ihren Spott mit ihm« (23,11). Johanna, die zur Entourage des Herodes gehörte, ging also ein unsagbares Risiko ein, als sie alles hinter sich ließ, um Jesus nachzufolgen. Lukas' einzigartiger Einblick in das Denken und Handeln des Herodes kann durchaus auf sie zurückgehen. Johannas hohe soziale Stellung zeigt uns auch, dass die Frauen, die Jesus begleiteten, nicht mitgenommen wurden, bloß um die Hausarbeiten zu übernehmen. Bauckham argumentiert sogar, es sei eine »ziemlich falsche Annahme, dass den Frauen [in Lukas 8,1–3] innerhalb der Gemeinschaft der Jünger Jesu die Art von geschlechterspezifischen Rollen zugewiesen wurde, die Frauen innerhalb einer gewöhnlichen Familie spielten.«[3] Eine Frau mit dem Status von Johanna hätte zu Hause normalerweise eigene Sklaven gehabt, die für sie kochten und putzten. Vielmehr finanzierten die wohlhabenden

2 Siehe Bauckham, *Gospel Women*, 136–137.
3 Bauckham, *Gospel Women*, 114.

Frauen unter Jesu Jüngern seinen Dienst. Das bedeutet natürlich nicht, dass sie sich nie die Finger schmutzig machten. Jesus lehrte seine Nachfolger immer und immer wieder, dass zur Jüngerschaft untrennbar dazugehört, dass man anderen dient. Er selbst kniete sich sogar hin und wusch ihre Füße (Johannes 13,1–17). Doch die Tatsache, dass Lukas insbesondere Johanna nennt, untergräbt die Vorstellung, dass die Frauen mitreisen durften, damit sie für die Männer den Haushalt führten. Wie sehen wir Jesus durch die Augen von Johanna? Wir sehen ihn als den, der Menschen vom Hof des Feindes erwählt, damit sie in seinem Reich dienen können. Wir sehen ihn als den, für den jeglicher Status abgelegt werden muss, für den alle Freunde in machtvollen Positionen aufgegeben werden müssen; als den, für den wir unser Geld aufwenden sollten und für den wir alles riskieren müssen.

Die letzte Frau, die Lukas mit Namen erwähnt, nennt er einfach nur Susanna. Da ihr Name nicht üblich war, war keine weitere Unterscheidung mehr nötig. Doch wenn Lukas sie aus einer größeren Gruppe von Jüngerinnen heraushebt, muss sie bekannt gewesen sein. Lukas' Sorgfalt bei der Nennung seiner Augenzeugen wird auch daran deutlich, dass er Maria aus Magdala und Johanna als Zeuginnen der Auferstehung Jesu aufführt, Susanna jedoch nicht. Stattdessen erwähnt Lukas »Maria, die Mutter des Jakobus« (Lukas 24,10). Wahrscheinlich gehörte Susanna nicht zu den Frauen, die zu Jesu Grab gingen und es leer vorfanden, doch Lukas hatte sie über frühere Ereignisse im Leben Jesu befragt. Genauso wie Lukas uns Maria, Elisabet und Hanna als Zeuginnen des ungeborenen bzw. neugeborenen Jesus vorstellt, stellt er uns hier Maria aus Magdala, Johanna und Susanna als Zeuginnen seines Wirkens vor. Auch Matthäus und Markus erzählen von den Frauen, die Jesus begleiteten, jedoch erst im Zusammenhang mit dessen Kreuzigung:

> Einige Frauen hatten von weitem zugesehen. Unter ihnen waren Maria aus Magdala, Maria, die Mutter von Jakobus, dem Kleinen, und von Joses, sowie Salome. Sie hatten Jesus schon in Galiläa begleitet und für ihn gesorgt. Zusammen mit vielen anderen waren sie ihm bis nach Jerusalem gefolgt. (Markus 15,40–41)

Matthäus nennt ebenfalls einzelne Frauen, die zu dem Kreis der Personen gehörten, die bei Jesu Kreuzigung anwesend waren und die seit den Anfängen seines Dienstes in Galiläa mit ihm mitgereist waren:

> Viele Frauen sahen von Weitem zu. Sie hatten Jesus schon in Galiläa begleitet und ihm gedient. Unter ihnen waren Maria aus Magdala, Maria, die Mutter von Jakobus und Josef, sowie die Mutter der Zebedäussöhne. (Matthäus 27,55–56)

Sowohl Matthäus als auch Markus nennen Maria aus Magdala und Maria, die Mutter von Jakobus und Josef.[4] Doch als dritte Augenzeuginnen nennen sie unterschiedliche Frauen. Das ist kein Fehler. Wie Matthäus uns mitteilt, haben viele Nachfolgerinnen seinen Tod beobachtet. Doch jeder Evangelist nennt uns die Frauen, auf deren Zeugenberichte er sich jeweils bezieht. Ebenso wie drei Trauerreden auf einer Beerdigung unterschiedliche Erinnerungen wachrufen, ziehen auch die Schreiber der Evangelien verschiedene Leute heran, die Jesus nahestanden, um ihre Berichte zusammenzustellen. Die Frauen, die Lukas in den ersten drei Versen aus Kapitel 8 aufzählt, gehören zu denen, »die von Anfang an als Augenzeugen dabei waren und dann den Auftrag erhielten, die Botschaft weiterzusagen« (Lukas 1,2). An der nächsten Stelle, an der er Frauen nennt, erzählt er eine Geschichte, die nur in seinem Evangelium vorkommt und in der Jesus weibliche Jüngerschaft ausdrücklich bejaht.

ZU JESU FÜSSEN SITZEN

Als Jesus und seine Jünger in ein Dorf kamen, nahm eine Frau namens Marta Jesus in ihrem Haus auf (Lukas 10,38). Marta war der vierthäufigste Name unter jüdischen Frauen in dieser Zeit und Gegend. Sie hatte eine Schwester namens (du kannst es dir denken) Maria.[5] Die Geschichte, die Lukas über diese Schwestern erzählt, wird häufig wie ein biblischer Persönlichkeitstest verwendet: »Bist du (1) die Macherin wie Marta oder (2), die Stille wie Maria?« Doch diese Auslegungswei-

4 Joses und Josef waren unterschiedliche Formen desselben Namens.

5 Etwa 6 % der jüdischen Frauen in der Region hießen Marta. Siehe Bauckham, *Beloved Disciple*, 175.

se übersieht den eigentlichen Sinn. Es geht in der Geschichte nicht um zwei Persönlichkeitstypen. Es geht um zwei Reaktionen auf Jesus und um Jesu Bestätigung weiblicher Jüngerschaft.

Marta, die Jesus zu sich nach Hause eingeladen hatte, »war sehr beschäftigt mit vielem Dienen« (Lukas 10,40). Das Wort, das Lukas hier für Martas »Dienen« verwendet, leitet sich aus demselben Verb ab, das er benutzte, um die Frauen zu beschreiben, die Jesus in Lukas 8,3 finanziell »dienten«. Doch in diesem Kontext geht es nun klar um häusliche Tätigkeiten. Stützt diese Geschichte also die Sichtweise, dass Jesu weibliche Jünger nur mitzogen, um zu kochen und zu putzen? Keineswegs. Während Marta zu »beschäftigt« war, saß Maria »dem Herrn zu Füßen und hörte ihm zu« (10,39).

Zu jemandes Füßen zu sitzen, war eine Haltung der Jüngerschaft. Beispielsweise beschreibt der Apostel Paulus seine Ausbildung mit den Worten »auferzogen [...] zu Füßen Gamaliels« (Apostelgeschichte 22,3). Wie der Neutestamentler Darrell Bock es formuliert: »Das Bild einer Frau in der Position eines Jüngers, zu den Füßen Jesu, würde in einer Kultur, in der Frauen keine förmliche Ausbildung durch einen Rabbi erhielten, für Aufsehen sorgen.«[6] Vielleicht fand diese Maria durch Frauen wie Maria aus Magdala, Johanna, Susanna und die anderen Frauen im Kreis der Jünger Jesu den Mut, sich zu seinen Füßen hinzusetzen. Und wie so oft, wenn Jesus auf umstrittene Personen zuging, erntete er auch hier Kritik dafür, dass er Maria diesen Platz einnehmen ließ. Doch in dieser Geschichte kritisieren ihn nicht wie sonst die Pharisäer, die immer darauf aus waren, Fehler bei ihm zu finden, oder Jesu männliche Jünger, die ihn häufig missverstanden, sondern Marta: »›Herr‹, sagte sie, ›findest du es richtig, dass meine Schwester mich die ganze Arbeit allein tun lässt? Sag ihr doch, sie soll mir helfen!‹« (Lukas 10,40). Und in gewisser Hinsicht war ihre Bitte verständlich. Warum sollte Marta die ganze Arbeit erledigen, während Maria nur herumsaß? Für wen hielt sich Maria eigentlich? Jesus reagiert mit einer liebevollen Zurechtweisung, die allerdings nicht wie gewünscht Maria galt, sondern Marta: »›Aber Marta‹, entgegnete ihr Jesus, ›Marta,

6 Darrell Bock, *Luke: 9:51–24:53*, Band 2, Baker Exegetical Commentary on the New Testament (Grand Rapids, MI: Baker Academic, 1996), 1037.

du bist beunruhigt und machst dir Sorgen um so viele Dinge! Notwendig ist aber vor allem eins. Maria hat das gute Teil gewählt, und das soll ihr nicht genommen werden‹« (Verse 41–42).

Dass Jesus Martas Namen zweimal nennt, signalisiert sein tiefes Mitfühlen. Bei der einzigen anderen Begebenheit im Lukasevangelium, wo Jesus jemanden auf diese Weise anspricht, sagt er: »Simon, Simon, der Satan hat euch haben wollen, um euch durchsieben zu können wie den Weizen. Doch ich habe für dich gebetet, dass du deinen Glauben nicht verlierst« (Lukas 22,31–32). Jesu Wehklage über Jerusalem zeugt von einer ähnlichen Mischung aus Liebe und Traurigkeit: »Jerusalem, Jerusalem, du tötest die Propheten und steinigst die, die Gott dir schickt. Wie oft wollte ich deine Kinder sammeln, so wie die Henne ihre Küken unter ihre Flügel nimmt. Aber ihr habt nicht gewollt« (Lukas 13,34).[7] Jesus spricht Marta aus tiefstem Herzen an. In heutiger Sprache hätte er wahrscheinlich gesagt: »Ach, Marta!«

Der Rest von Jesu Antwort stellt eine Verbindung sowohl zu den Worten her, die Marta gerade gesagt hat, als auch zu Worten, die schon Jahrhunderte zuvor gesprochen wurden. Es besteht ein direkter Zusammenhang zwischen physischer und übertragener, also geistlicher, Nahrung. Marta bereitet ihren Gästen Essen zu, während Maria »das gute Teil« erwählt hat, indem sie von Jesus lernt.[8] Doch Jesu Worte gehen auch auf die Psalmen, das hebräische Liederbuch, zurück. In Psalm 16,5 ruft König David: »Der HERR ist der Anteil meines Erbes und mein Becher«, während Asaf in Psalm 73 fragt: »Wen hab ich im Himmel außer dir? Und neben dir wünsch ich mir nichts auf der Erde. Auch wenn ich Leib und Leben verliere, bleibt Gott auf ewig der Fels meines Herzens und mein Teil« (Psalm 73,25–26). Der längste Psalm der Bibel wiederholt diesen Punkt: »Mein Teil ist der Herr« (Psalm 119,57). Marta denkt, sie diene Jesus, indem sie ihm eine Mahlzeit zubereitet. Doch Jesus stellt klar, dass er derjenige ist, der mit der wahren Mahlzeit aufwartet – und Maria sitzt daher zu Recht an seinem Tisch. Wie sehen wir Jesus durch

7 Darrell Bock geht auch auf die Jünger ein, die zu Jesus sagen: »Rabbi, Rabbi«, bevor dieser den Sturm stillt (Lukas 8,24), als weiteres Beispiel dafür, dass eine doppelte Ansprache starke Emotionen signalisiert. Siehe Bock, *Luke*, 1042.

8 Bock schlägt »the right meal« (dt.: »die rechte Mahlzeit«) als Umschreibung für »das gute Teil« vor. Siehe Bock, *Luke*, 1042.

die Augen dieser beiden Schwestern im Lukasevangelium? Wir sehen ihn als den, der Frauen herzlich aufnimmt und ihr Recht, von ihm zu lernen, verteidigt. Wir sehen ihn auch als den, der so viel mehr gibt, als wir ihm jemals geben könnten.

FRAUEN, DIE JESUS LIEBHATTE

Die Menschen um mich herum sind oft schockiert, wie schlecht ich Prominente auseinanderhalten kann. Einmal habe ich Beyoncé mit Adele verwechselt. Ein anderes Mal musste mir ein Freund erklären, dass Tom Brady in Wirklichkeit kein Baseballspieler ist – sondern American Football spielt –, und das, obwohl ich schon jahrelang in New England lebte, der Heimat seines Teams, der New England Patriots, für die er schon seit Jahren erfolgreich gespielt hatte. Wie wir von jemandem reden, hängt von unseren Erwartungen darüber ab, ob unsere Zuhörer wissen, wer die entsprechende Person ist. Meine Freunde haben inzwischen verstanden, dass sie bei mir grundsätzlich kein Wissen über Prominente voraussetzen können. Doch die Art und Weise, wie Johannes Maria und Marta aus Betanien vorstellt, deutet darauf hin, dass seine Leser bereits von ihnen gehört haben mussten:

> Nun wurde ein Mann in Betanien krank. Er hieß Lazarus. Betanien war das Dorf, in dem auch Maria und ihre Schwester Marta wohnten. Maria war die Frau, die dem Herrn das kostbare Salböl über die Füße gegossen und sie dann mit ihren Haaren abgetrocknet hatte. Lazarus war ihr Bruder. (Johannes 11,1–2)

In der jüdischen Kultur des ersten Jahrhunderts identifizierte man Frauen oft anhand ihrer Beziehung zu einem nahen männlichen Verwandten. Doch Johannes macht es genau umgekehrt und stellt uns Lazarus als den Bruder von Maria und Marta vor. Johannes stellt Maria (vermutlich die jüngere der beiden Schwestern) anscheinend als die Bekanntere von ihnen dar und bezieht sich auf etwas, das Maria getan hat, als hätten seine Leser bereits davon gehört. Diese Begebenheit wird in Matthäus, Markus und auch im nachfolgenden Kapitel des Johannesevangeliums geschildert. Wir werden später noch näher darauf eingehen. Doch hier, am Anfang von Johannes 11, sehen wir, wie diese Schwestern Jesus einen Hilferuf zukommen lassen: »Herr, der, den du liebhast, ist krank!« (Johannes 11,3).

Diese Nachricht ist aufschlussreich. Maria und Marta nennen ihren Bruder nicht »Lazarus«, sondern »der, den du liebhast«. Johannes spricht zwar von sich selbst als dem »Jünger, den Jesus besonders liebhatte« (Johannes 13,23; 19,26; 20,2; 21,7), doch aus diesem Vers geht hervor, dass Johannes nicht der Einzige war, den Jesus liebhatte. Und statt jetzt daraus den Schluss zu ziehen, dass Jesus seine männlichen Jünger am meisten liebhatte, sollten wir erkennen, dass Johannes Jesu Liebe zu den Schwestern betont: »Jesus hatte Marta, ihre Schwester und Lazarus sehr lieb« (Johannes 11,5). Das griechische Wort, das Johannes hier verwendet, ist *agapao* – dasselbe Wort, das Jesus verwendet, um die Liebe des Vaters zu ihm zu beschreiben (Johannes 10,17).[9] Jesus hat die Geschwister zutiefst lieb. Diese Liebe lässt Jesu Reaktion auf die Nachricht von Maria und Marta völlig unpassend wirken: »Jesus hatte Marta, ihre Schwester und Lazarus sehr lieb. Als er nun hörte, dass Lazarus krank sei, blieb er noch zwei Tage an dem Ort, wo er war« (Johannes 11,5–6). Wenn wir durch die Augen von Maria und Marta in diesem Moment blicken, sehen wir Jesus als den, der die Macht hat, ihren Bruder zu heilen, ihrem Hilferuf jedoch nicht nachkommt.

Tage gehen ins Land, doch Jesus taucht nicht auf. Vielleicht denken die Schwestern, dass er nicht gekommen ist, weil es zu gefährlich ist. Betanien lag nur drei Kilometer von Jerusalem entfernt, und als Jesus seinen Jüngern schließlich vorschlägt, nun doch wieder gen Süden zu ziehen, antworten sie: »Rabbi, eben noch haben die Juden dort versucht, dich zu steinigen. Und jetzt willst du wieder dahin?« (Vers 8). Doch Jesu Entscheidung, nicht sofort loszuziehen, als er die Nachricht von Maria und Marta erhielt, hatte nichts mit dem mit seinem Leben verbundenen Risiko zu tun. Vielmehr verzögerte er seine Ankunft, damit Gott verherrlicht würde (Vers 4) und damit seine Jünger glaubten (Verse 14–15).

9 In Johannes 13,23; 21,7.20 steht *agapao* (lieben wie Gott), während in Johannes 20,2 *phileo* (freundschaftlich lieben) verwendet wird. In seinem Evangelium verwendet Johannes beide Wörter zu unterschiedlichen Zeitpunkten, um Jesu Liebe zu ihm zu beschreiben.

Als Jesus endlich in Betanien eintrifft, liegt Lazarus schon seit vier Tagen im Grab. Marta hört, dass Jesus gekommen ist, und geht ihm entgegen. Maria bleibt aber im Haus sitzen. Marta sagt zu Jesus: »Herr, wenn du hier gewesen wärst, dann wäre mein Bruder nicht gestorben. Aber ich weiß, dass Gott dir auch jetzt keine Bitte abschlagen wird« (Johannes 11,21–22). Diese Worte bringen ihren ausnehmenden Glauben zum Ausdruck. Lazarus ist tot und begraben. Doch selbst jetzt weiß sie, dass ihr Herr ihn heilen kann. Wir könnten hier gut erwarten, dass Jesus nun auf direktem Wege mit ihr zu Lazarus' Grab geht. Stattdessen nimmt er sich die Zeit, diese verweinte Frau, die er liebt, zu unterrichten: »Dein Bruder wird auferstehen!« (Johannes 11,23). Viele Juden im ersten Jahrhundert glaubten, dass Gott sie am letzten Tag von den Toten auferwecken würde. Daher antwortet Marta: »Ich weiß, dass er auferstehen wird bei der Auferstehung am letzten Tag« (Vers 24). Doch die Auferstehung am Ende der Zeit ist nicht das, wonach sich Marta in ihrer Situation sehnt. Sie hatte nach Jesus gesandt, damit er Lazarus heilen würde. Nun will sie, dass ihr Herr ihn wieder zum Leben erweckt. Jesus antwortet mit einer der erstaunlichsten Aussagen der gesamten Bibel: »Ich bin die Auferstehung und das Leben. Wer an mich glaubt, wird leben, auch wenn er stirbt. Und wer im Glauben an mich lebt, wird in Ewigkeit nicht sterben. Glaubst du das?« (Verse 25–26).

Das ist eine von vielen Stellen in den Evangelien, an denen der Gedanke, dass Jesus nicht mehr war als ein guter Lehrer, zerschmettert wird wie billige Töpferware. Gute Lehrer erheben nicht den Anspruch, die Auferstehung und das Leben zu sein; die Quelle des Lebens selbst; derjenige, ohne den das Leben Tod ist und mit dem sogar der Tod das Leben ist. Doch genau das tut Jesus. In diesem Moment mit Marta behauptet Jesus, dass der Glaube an ihn sogar den Tod überwinden kann. Martas Vertrauen auf Jesus ist aber nicht nur Mittel zum Zweck, ihren Bruder zurückzubekommen. Es ist die Quelle ihres eigenen Lebens auch.

Als fromme Jüdin hörte Marta in Jesu Worten zweifellos das Echo der Worte, die Gott Jahrhunderte zuvor zu Mose gesagt hatte. Gott hatte Mose beauftragt, nach Ägypten zurückzukehren und Gottes Volk zu befreien. Als Mose ihn nach seinem Namen fragte, antwortete Gott: »Ich bin, der ich bin«, und fügte hinzu: »So sollst du zu den Söhnen Israel sagen: Der ›Ich bin‹ hat mich zu euch gesandt« (2. Mose 3,14).[10] Im Johannesevangelium wird in vielen Aussagen Jesu dieser heilige Name Gottes immer wieder aufgegriffen. »Ich bin das Brot des Lebens« (Johannes 6,35.48; vgl. Vers 41 und 51); »Ich bin das Licht der Welt« (8,12); »Ehe Abraham war, bin ich« (8,58); »Ich bin das Tor zu den Schafen« (10,7.9); »Ich bin der gute Hirt« (10,11.14); »Ich bin der Weg! Ich bin die Wahrheit und das Leben« (14,6); »Ich bin der wahre Weinstock« (15,5). Nahezu alle »Ich-bin«-Worte Jesu sind an Gruppen gerichtet. Seine Aussage »Ich bin die Auferstehung und das Leben« ist eine von den beiden Ausnahmen. Wie wir in Kapitel 3 feststellen werden, richtet sich auch das andere an eine Einzelperson gesprochene »Ich-bin«-Wort an eine Frau. Einst hatte Marta Maria schief angeschaut, weil sie mit den anderen Jüngern zu den Füßen Jesu saß. Und nun spricht Jesus in einem erstaunlichen Akt der Gnade einige seiner weltbewegendsten Worte zu ihr allein.

Bevor Jesus nach Betanien kam, sagte er seinen Jüngern, dass er um ihretwillen froh war, dass Lazarus gestorben war, damit sie glaubten (Johannes 11,14–15). Doch in diesem Moment fragt er eine einzige Jüngerin, was sie zu dieser ungeheuren Behauptung sagt: »Glaubst du das?« Marta antwortet: »Ja, Herr! Ich glaube, dass du der Messias bist, der Sohn Gottes, der in die Welt kommen soll« (Vers 27).

In herausfordernden Zeiten habe ich schon oft Jesu Aussage vor mich hingemurmelt und mir selbst seine Frage gestellt. Vor einigen Jahren, in einer Zeit heftiger Beziehungsprobleme, in der ich das Gefühl hatte, der seelische Boden unter meinen Füßen würde wegbrechen, stand ich in meinem Schlafzimmer, hielt mich an der Kommode fest und wiederholte diese beiden Sätze: »Ich bin die Auferstehung und das Leben« und »Glaubst du das?«. Denn wenn das wahr ist, kann mir nichts, was in meinem Leben auf der Erde geschieht, dieses ewige Leben nehmen. Und wenn es falsch ist, dann ist ohnehin nichts in mei-

10 Der Name Gottes, der »Jahweh« geschrieben wird, ist eine Form des hebräischen Verbs »sein«, das auch im Ausdruck »ich bin« verwendet wird. Für Juden war der Bundesname Gottes so heilig, dass er nie laut vorgelesen wurde. Stattdessen verwendeten sie das Wort *Adonai*, was bedeutet »mein Herr«. Die griechische Übersetzung des Alten Testaments gab *Jahweh* mit dem griechischen Wort *kurios* (»Herr«) wieder. Dieser Vorgehensweise folgend wird auch in unseren Bibelübersetzungen die Ersatzformulierung »der Herr« verwendet und in Kapitälchen gesetzt.

nem Leben auf der Erde von Bedeutung. Entweder endet alles im Tod, oder Jesus ist die Auferstehung und das Leben.

Wie sehen wir Jesus durch Martas Augen in diesem Moment? Wir sehen ihn als den, der ihrem Bruder das Leben zurückgeben kann, genauso wie sie es sich sehnlichst wünscht. Doch auch als den, der selbst die Auferstehung und das Leben ist. Genauso wie Gott sich Mose als der geoffenbart hatte, der schlichtweg *ist*, offenbart sich auch Jesus gegenüber Maria als der, der in sich selbst das Leben verkörpert. Auf Jesus zu vertrauen, heißt zu leben. Das bedeutet nicht, dass Jesus *kein* guter Lehrer wäre. Als Marta losgeht, um Maria zu holen, sagt sie: »Der Rabbi ist da! Er will dich sehen« (Johannes 11,28). Jesus ist genauso sicher ein guter Lehrer, wie die Sonne eine Lichtquelle ist. Aber er ist mehr als das. Ebenso wie unser ganzer Planet um die Sonne kreist, sollten auch wir unser Leben am Sohn Gottes orientieren und um ihn herum anordnen, den Christus, der in unsere Welt kam, um uns aus dem Tod heraus- und ins Leben hineinzurufen.

JESUS WEINT

Wir könnten aus Jesu Worten nun leicht schlussfolgern, dass wir Schadensbegrenzung betreiben und uns keine Sorgen mehr machen sollten. Wenn Jesus die Auferstehung und das Leben ist, warum sollten wir nicht von all den Dingen, die uns schmerzen, wegtreten und uns vom Leid loskoppeln! Wenn, wie es der Buddhismus lehrt, die Wurzel alles Leids Bindung ist, dann können wir doch vielleicht die Wurzel herausreißen und uns von dem verfaulten Zahn des Schmerzes befreien. Doch Johannes lässt diese Schlussfolgerung nicht zu. Als Maria hört, dass der Rabbi nach ihr fragt, steht sie schnell auf und geht zu ihm (Johannes 11,29). Jesus ist immer noch nicht ins Dorf gekommen. Marta hat ihn in ihrem Eifer auf seinem Weg dahin abgefangen. Als Maria ihn erreicht, fällt sie auf ihre Knie und wiederholt die Worte ihrer Schwester: »Herr, wenn du hier gewesen wärst, dann wäre mein Bruder nicht gestorben« (Vers 32). Wie reagiert Jesus auf diese Worte der Trauer? Als er sieht, wie Maria und die anderen Juden, die mit ihr gekommen waren, weinen, ist er »innerlich aufgewühlt und [...] sehr erregt« (Vers 33). Er fragt, wo Lazarus' Leichnam hingelegt wurde. Und dann weint er mit (Vers 35).

Wie sehen wir Jesus in diesem Moment durch Marias gerötete Augen? Wir sehen ihn als den, der ihren Bruder hätte retten können, ihn jedoch hat sterben lassen– und auch als den, der in ihrem Schmerz mit ihr weint. Einige der Anwesenden sahen die Tränen in Jesu Gesicht und sagten: »Seht einmal, wie lieb er ihn gehabt hat« (Vers 36). Andere hatten eine berechtigte Frage: »Er hat doch den Blinden geheilt. Hätte er dann nicht auch Lazarus vor dem Tod bewahren können?« (Vers 37). Die Antwort auf ihre Frage lautet »Ja«, und Maria weiß es. Doch anstatt Marias Gefühlen gegenüber kaltherzig zu sein, nimmt er daran teil.

Wenn du schon länger Christ bist, dann fallen dir vielleicht auch Zeiten ein, in denen du Gott um Hilfe angefleht und dann das Gefühl gehabt hast, es wäre keine Reaktion gekommen. Du hast um Heilung gebetet – und sie ist nicht eingetreten. Du hast nach Jesus senden lassen und dich völlig alleingelassen gefühlt. Doch als Jesus endlich zu Maria kommt, vergießt er Tränen mit ihr. Er war nicht deswegen weggeblieben, weil es ihm egal war, sondern weil es ihm *nicht* egal war. Das Beste, was Jesus diesen Schwestern, die er innig liebte, geben konnte, war nicht eine sofortige Erhörung ihrer Gebete, sondern eine Selbstoffenbarung.

Als Jesus zu Lazarus' Grab kommt, ist er wieder tief bewegt und fordert die Anwesenden auf, den Rollstein vorm Grab zu entfernen, damit er Zugang zur Gruft hätte. Marta spricht die bittere Wahrheit aus: »Herr, der Geruch! Er liegt ja schon vier Tage hier« (Johannes 11,39). Lazarus ist tot, begraben und verwest in seiner Gruft. Aber Jesus sagt: »Ich habe dir doch gesagt, dass du die Herrlichkeit Gottes sehen wirst, wenn du mir vertraust!« (Vers 40). Also rollen sie den Stein weg. Jesus betet – um der Zusehenden willen – und ruft dann mit lauter Stimme: »Lazarus, komm heraus!« (Verse 41–43). Und Johannes schreibt: »Da kam der Tote heraus, Hände und Füße mit Grabbinden umwickelt und das Gesicht mit einem Schweißtuch zugebunden« (Vers 44).

Wie sehen wir Jesus durch Marias und Martas Augen, während sie beobachten, wie ihr Bruder aus seinem eigenen Grab heraustritt? Wir sehen ihn als den, der in unserem Schmerz mit uns weint, jedoch auch als den, der einen toten Mann wieder ins Leben rufen kann. Jesu Macht, Lazarus aufzuerwecken, untermauert seinen umwerfenden Marta gegenüber geäußerten Anspruch, dass er wirklich die Auferstehung und das Leben ist. Viele der Juden, die Zeugen dieses Ereignisses sind, kommen zum Glauben an Jesus (Vers 45). Doch einige gehen zu den Pharisäern und sagen ihnen, was Jesus getan hat (Vers 46). Das stößt ein Treffen der Hohepriester und Pharisäer an, die einen Plan aushecken wollen, um Jesus zu Tode zu bringen. Doch es handelt sich hierbei nicht um eine katastrophale Wendung in der Geschichte; es ist lediglich der nächste Schritt in Jesu Plan: Der Mann, der die Auferstehung und das Leben ist, ist gekommen, um zu sterben.

GESALBT FÜR DAS GRAB

Wie bereits gesehen, schreibt Johannes, als er Maria und Marta vorstellt: »Maria war die Frau, die dem Herrn das kostbare Salböl über die Füße gegossen und sie dann mit ihren Haaren abgetrocknet hatte« (Johannes 11,2). Dies war eindeutig eine bekannte Begebenheit. Doch Johannes' Version der Geschichte unterscheidet sich auffallend von den entsprechenden Erzählungen bei Matthäus und Markus. Markus schildert den Anfang der Geschichte wie folgt:

> Jesus war in Betanien bei Simon dem Aussätzigen zu Gast. Während des Essens kam eine Frau herein, die ein Alabastergefäß mit reinem, kostbarem Nardenöl in der Hand hatte. Sie brach den Hals des Fläschchens ab und goss Jesus das Öl über den Kopf. (Markus 14,3)

Wie Markus und Matthäus verortet auch Johannes diese Szene in Betanien. Doch während Markus und Matthäus den Gastgeber mit »Simon dem Aussätzigen« wiedergeben, erwähnt Johannes gar keinen Gastgeber:

> Sechs Tage vor dem Passafest kam Jesus wieder nach Betanien, wo Lazarus wohnte, den er vom Tod auferweckt hatte. Die Geschwister gaben Jesus zu Ehren ein Festmahl, bei dem Marta bediente. Lazarus lag mit den Gästen zu Tisch. Da nahm Maria ein Pfund echtes, sehr kostbares Nardenöl und salbte Jesus damit die Füße. Dann tupfte sie diese mit ihrem

> Haar ab. Der Duft des Salböls erfüllte das ganze Haus. (Johannes 12,1–3)

Anders als Matthäus und Markus, die den Namen der Frau nicht verraten, identifiziert Johannes die Frau, die Jesus salbt, als Maria von Betanien. Anstatt zu beschreiben, wie sie das Öl über Jesu Kopf gießt, schreibt Johannes, dass sie Jesu Füße salbt. Eine Untersuchung der Unterschiede in den Berichten kann uns dabei helfen zu verstehen, wie die Schreiber der Evangelien ihr Material auswählten und anordneten – ähnlich wie unterschiedliche Filmproduzenten, die einem Film ihren eigenen, charakteristischen Touch verleihen.

Zunächst einmal muss die Tatsache, dass in Johannes' Version Maria, Marta und Lazarus alle vorkommen – und sogar dass die wie immer fleißige Marta bedient –, nicht heißen, dass sie die Gastgeber des Festmahls sind (Vers 2). Wenn überhaupt spricht die Tatsache, dass Lazarus zu denen gehört, die mit Jesus zu Tisch liegen, dafür, dass er nicht der Hauseigentümer ist.[11] Der Gastgeber, den Markus »Simon [den] Aussätzigen« nennt, hatte vermutlich Jesu heilende Kraft erlebt, da einer, der noch immer Aussätziger war, kein Abendessen bei sich hätte veranstalten dürfen. Es ist anzunehmen, dass mehrere in Betanien ansässige Jünger sich zusammentaten, um für ihren Herrn ein Festmahl zu organisieren. Doch wie ordnen wir die Tatsache ein, dass Markus und Matthäus sagen, dass die Frau Jesu Kopf salbte, während Johannes erzählt, dass sie seine Füße salbte? Auch dies muss kein Widerspruch sein. In Markus' Version sagt Jesus: »Sie hat [...] meinen Körper [...] gesalbt«, was darauf hindeutet, dass sie nicht ausschließlich seinen Kopf gesalbt hat (Markus 14,8). Doch während Markus und Matthäus unsere Aufmerksamkeit auf die Salbung von Jesu Kopf lenken, was an die Salbung von Königen im Alten Testament erinnert, betont Johannes die demütige Hingabe von Maria, als sie Jesu Füße salbt und mit ihren Haaren abtrocknet.[12]

In den Berichten aller drei Evangelien wird die Frau für ihr Handeln kritisiert, während Jesus sie dafür verteidigt. Markus schreibt:

11 Siehe Craig L. Blomberg, *The Historical Reliability of John's Gospel* (Downers Grove, IL: ivp Academic, 2001), 176.
12 Siehe Bauckham, *Beloved Disciple*, 188.

> Einige am Tisch waren empört. »Was soll diese Verschwendung?«, sagten sie zueinander. »Man hätte dieses Öl für mehr als 300 Denare verkaufen und das Geld den Armen geben können.« Und sie machten der Frau heftige Vorwürfe. Aber Jesus sagte: »Lasst sie in Ruhe! Warum bringt ihr sie in Verlegenheit? Sie hat ein gutes Werk an mir getan. Es wird immer Arme bei euch geben, und sooft ihr wollt, könnt ihr ihnen Gutes tun. Aber mich habt ihr nicht mehr lange bei euch. Sie hat getan, was sie konnte, und meinen Körper im Voraus zum Begräbnis gesalbt. Und ich versichere euch: Überall in der Welt, wo man die Freudenbotschaft bekannt machen wird, wird man auch von dem reden, was diese Frau getan hat.« (Markus 14,4–9; siehe auch Matthäus 26,6–13)

Die überschwängliche Verteidigungsrede Jesu passt zu Marias weitherzigem Umgang mit dem Salböl. Jesus sagt, dass sie »ein gutes Werk« getan hat, und prophezeit, dass überall auf der Welt, wo das Evangelium verkündet wird, in Gedenken an sie auch ihre Geschichte erzählt werden wird. Doch anstatt die Salbung seines Hauptes als Anerkennung seiner Königsherrschaft zu empfangen, empfängt Jesus sie als Salbung für seine Grablegung. Jesus geht dem Tod entgegen. Er weiß, dass der Weg in sein Reich über das Kreuz führt.

Johannes identifiziert nicht nur die Frau, die die Salbung vollzieht, als Maria aus Betanien, sondern er identifiziert auch ihren Kritiker:

> Da sagte einer von den Jüngern ärgerlich – es war Judas, der Iskariot, der Jesus später verriet: »Warum hat man dieses Salböl nicht verkauft? Man hätte dreihundert Denare dafür bekommen und das Geld den Armen geben können.« Er sagte das nicht etwa, weil er sich um die Armen sorgte, sondern weil er ein Dieb war. Er verwaltete die gemeinsame Kasse und bediente sich daraus. »Lass sie in Ruhe!«, sagte Jesus. »Sie hat das als Vorbereitung für mein Begräbnis getan. Es wird immer Arme geben, um die ihr euch kümmern könnt. Aber mich habt ihr nicht mehr lange bei euch.« (Johannes 12,4–8)

Die treue Hingabe von Maria aus Betanien an Jesus steht in starkem Kontrast zu Judas' Verrat. Während Maria ihr Geld aufwendet, um Jesus mit Liebe zu überschütten, stiehlt Judas aus den Ressourcen für Jesu Dienst – Ressourcen, die wahrscheinlich von Jüngern wie Johanna zur Verfügung gestellt wurden – und nimmt dann noch von Jesu Feinden Geld dafür an, dass er ihn verrät. Maria aus Betanien ist der Jünger, der Judas Iskariot hätte sein sollen.

Auch aus Markus' Bericht geht der Kontrast zwischen Judas und Maria hervor – obwohl keiner von beiden dort namentlich genannt wird. Markus bettet Geschichten häufig zwischen zwei Teile einer anderen Geschichte ein, um eine Verbindung deutlich zu machen. Seinen Bericht über die Salbung Jesu durch die Frau baut er ein zwischen den Treuebruch durch Judas (»Die Hohen Priester und die Gesetzeslehrer suchten immer noch nach einer Gelegenheit, Jesus heimlich festnehmen und dann töten zu können«, Markus 14,1) und Judas' Angebot, Jesus gegen Geld auszuliefern (Verse 10–11). Wie Jesus vorausgesagt hat, denkt man bis heute an Maria aus Betanien aufgrund ihrer Tat. Aber auch an Judas aufgrund seiner. Während Johannes Jesu Antwort gekürzt wiedergibt, indem er verschiedene Fäden aus dem Gesagten aufnimmt, erfüllt die Tatsache, dass er hier Maria mit Namen nennt, die von Markus aufgezeichnete Prophetie, dass sie immer für ihr Handeln in Erinnerung bleiben wird.

Wie sehen wir Jesus durch die Augen von Maria aus Betanien? Wir sehen ihn als den, der all ihre verschwenderische Liebe verdient hat und an dem nichts verschwendet ist. Wir sehen ihn als den, der sie – wieder – vor ihren Kritikern verteidigt. Wir sehen ihn als den, der ihre Schönheit durch ihre Werke sieht und ihre Liebe mit sie ehrenden Worten anerkennt (Markus 14,6–9). Maria »setzte sich dem Herrn zu Füßen und hörte ihm zu«, als er zum ersten Mal in das Haus von Marta in Betanien kam (Lukas 10,39). Als er nach Lazarus' Tod zu ihr kam, »warf sie sich ihm zu Füßen« und weinte (Johannes 11,32). Nun gießt sie Salböl auf seine Füße und trocknet sie mit ihren Haaren (Johannes 12,3). Maria aus Betanien weiß, wo für sie der richtige Platz ist: zu den Füßen Jesu sitzend – da, wo ein Jünger hingehört.

Anders als Maria aus Magdala, Johanna, Susanna und viele andere Frauen reisten Maria und Marta nicht mit Jesus umher. Dennoch gehörten sie zu seinen engsten Nachfolgern. In diesen Schwestern sehen wir zwei Frauen, die Jesus liebhatte. Eine von ihnen empfing von ihm ein für alle Zeiten nachhallendes Lob. Die andere empfing einen der erstaunlichsten Sätze, die er jemals gesprochen hat. Ob Jesus Jüngerinnen hatte? Die hatte er auf jeden Fall! Und 2000 Jahre später werden ihre Geschichten überall dort, wo man die Evangelien liest, noch immer erzählt.

DISKUSSIONSFRAGEN

Zum Einstieg: Gibt es jemanden, dem du gerne »folgst«, z. B. in den sozialen Medien oder anhand deren Büchern, die du liest, deren Show, die du dir anhörst/anschaust, oder deren Kunst, für die du dich begeisterst?

1. Worauf deutet es in den Evangelien bei einem Menschen oft hin, wenn er mit Namen genannt wird? Wie wirkt sich das auf unser Verständnis der Geschichten über namentlich genannte Frauen aus, die Jesus nachfolgten?
2. Welche Arten von Frauen wurden zu Jüngerinnen Jesu?
3. Was wissen wir über Maria aus Magdala? Warum ist es schwer vorstellbar, dass Jesus jemanden wie sie als Jüngerin erwählt?
4. Inwiefern widerlegt die Nennung von Johanna im Lukasevangelium einige verbreitete Annahmen darüber, wie Jesus seine weiblichen Jünger wahrnahm?
5. Wie beeinflussen die Frauen in diesem Kapitel dein Verständnis dessen, was es bedeutet, eine Jüngerin oder Nachfolgerin Jesu zu sein?
6. Hattest du schon einmal damit zu kämpfen, dass Gott deine Gebete nicht so erhört hat, wie du es dir erhofft hast? Welche Folgen hat die Art und Weise, wie Jesus im Zuge von Lazarus' Tod mit Maria und Marta umgeht, für die Art und Weise, wie du auf diesen Kummer reagierst?
7. Wo warst du schon einmal versucht, Jesus etwas vorzuenthalten? Wie kann dich die Geschichte, wie Maria Jesus mit kost-

barem Salböl überschüttet, dazu befreien, ihn weitherzig anzubeten?

8. Welche Sicht von Jesus durch die Augen dieser Frauen ist für dich die bedeutendste?

Genauer hinsehen: Lies Johannes 11,1–44.

1. Wie oft kommen Formen der Wörter »Tod« und »sterben« in diesem Abschnitt vor?
2. Was sagt Jesus in Vers 4 über Lazarus' Krankheit? Inwiefern scheint Jesu Aussage in Vers 14 dem zu widersprechen? Inwiefern lösen die Verse 25 und 44 diese Spannung auf?
3. Warum, nach den Versen 4–6, 15, 25–27 und 40–42, ließ Jesus Lazarus sterben? Was offenbaren diese Ereignisse darüber, was es bedeutet, ein Jünger/eine Jüngerin Jesu Christi zu sein?

KAPITEL 3

SPEISE

»Ich hasse Essen«.

Luke, mein Dreijähriger, war gerade in einer Phase. »Ich hasse Essen«, hieß es beim Mittagessen. »Ich hasse Trinken«, hieß es, wenn man ihm einen Becher hinhielt. Einmal flüsterte er sogar verschwörerisch: »Ich hasse Menschen.« Doch als er hörte, dass ich zum Abendessen Pasta gemacht hatte, rief er: »Ich liebe dich! Ich werde sooooo glücklich sein!«

Mag sein, dass wir unsere Gefühle nicht so energisch zum Ausdruck bringen wie Luke. Doch ich meine, dass bei den meisten von uns das Verhältnis zu Essen und Trinken mit gemischten Gefühlen einhergeht. Gutes Essen kann uns fröhlich machen, besonders dann, wenn wir es mit Menschen teilen, die wir lieben. Doch es gibt auch eine Kehrseite der Medaille: Wir sind gestresst von Schönheitsidealen wie dem Schlanksein bei Frauen und fettfreier Muskulosität bei Männern. Von Essen und Trinken erhoffen wir uns Trost oder dass unser Schmerz überdeckt wird – wir wollen, dass es uns ein Gefühl von Kontrolle gibt oder ein Mittel, das uns zur Flucht verhilft.

Die nahöstliche Welt des ersten Jahrhunderts, die der Schauplatz der Evangelien war, unterschied sich sehr von der westlichen Welt des 21. Jahrhunderts, in der ich lebe. Für die meisten Frauen damals war die drängendste Frage in Bezug auf Essen und Trinken nicht: »Wie viel ist zu viel?«, sondern: »Gibt es genug?« Und das ist die Frage, der sich heute rund um den Globus viele Frauen stellen müssen. Doch egal ob Mangel oder Überfluss – unser menschliches Grundbedürfnis nach Nahrung verbindet uns mit allen Menschen zu allen Zeiten. In diesem

Kapitel werden wir uns vier Unterhaltungen zwischen Jesus und Frauen anschauen, in denen es um Essen und Trinken geht. Während Jesus mit diesen Frauen über geistliches Wasser, Brot und Wein spricht, sehen wir ihn durch ihre Augen als den, von dem allein alle wahre Speise kommt. Wir sehen ihn auch als den Einzigen, der uns von unseren besten und schlechtesten Seiten wirklich kennt und uns eine Identität gibt, die losgelöst ist von allem, was soziale Medien uns anbieten können oder was das Älterwerden uns nehmen könnte.

WASSER WIRD WEIN

Mein Mann und ich haben zweimal Hochzeit gefeiert. Einmal im Juni in Cambridge, UK, und ein weiteres Mal im Oktober in Oklahoma City. In England gehen Hochzeiten mit Alkohol einher. Traditionellerweise zahlt die Familie der Braut die Hochzeit und die des Bräutigams den Wein. Doch in Oklahoma, wo Bryan aufgewachsen ist, gibt es unter Christen eine starke Tradition, überhaupt keinen Alkohol zu trinken, sodass unsere Hochzeit in Oklahoma eine ziemlich nüchterne Angelegenheit war. Ich kann beide Sichtweisen nachvollziehen. In der Bibel werden wir deutlich vor Trunkenheit gewarnt. Ganze Leben und Familien können durch Alkohol zerstört werden.[1] Für viele ist die Entscheidung, abstinent zu bleiben, eine weise Entscheidung. Doch das erste Wunder, von dem wir im Johannesevangelium lesen, ist keine Heilung oder Auferweckung. Es ist die Geschichte, wo Jesus bei einer Hochzeit das Wasser in mehreren großen, befüllten Tonkrügen in edelsten Wein verwandelt.

In dieser Geschichte kommt Jesu Mutter Maria zum ersten Mal im Johannesevangelium vor. Jesus und Maria sind beide auf einer Hochzeit in Kana, einer kleinen Stadt nördlich von Nazareth, als der Wein ausgeht. Maria findet ihren Sohn und sagt: »Sie haben keinen Wein mehr!« (Johannes 2,3). Jesu Antwort wirkt auf uns befremdlich: »Frau, in was für eine Sache willst du mich da hineinziehen? Meine Zeit ist noch nicht gekommen« (Vers 4). Es erscheint uns respektlos, wie Jesus seine Mutter hier mit »Frau« anspricht. Doch das ist nicht der Fall. In

1 In seinem Brief an die Gemeinde in Ephesus schreibt der Apostel Paulus beispielsweise: »Und betrinkt euch nicht, denn das führt zu einem zügellosen und verschwenderischen Leben, sondern lasst euch vom Geist Gottes erfüllen!« (Epheser 5,18).

der jüdischen Kultur im ersten Jahrhundert war dies nicht abwertend. Etwas wörtlicher könnte man das, was Jesus danach sagt, so übersetzen: »Was hat das mit dir und mir zu tun?« Weder Jesus noch seine Mutter waren die Gastgeber. Somit war es nicht ihr Problem, wenn der Wein ausging. Doch Jesus fügt noch eine seltsame Bemerkung hinzu: »Meine Zeit ist noch nicht gekommen.« Im Johannesevangelium bezieht sich Jesu »Zeit« auf den Zeitpunkt seiner Kreuzigung.[2] Womöglich meint Jesus, dass ein Beweis seiner Macht an dieser Stelle für die Art von Ärger sorgen würde, durch die er zu Tode kommen würde, und dass es dafür noch nicht an der Zeit sei. Doch anstatt Jesus darauf zu antworten, weist Maria die Diener an: »Tut alles, was er euch aufträgt« (Johannes 2,5). Sie weiß nicht, was Jesus tun wird, aber sie weiß, dass absolutes Vertrauen die angemessene Reaktion gegenüber Jesus ist, wenn er Anweisungen gibt.

Jesus weist die Diener dann an, sechs je etwa 100 Liter fassende Krüge mit Wasser zu befüllen. Als sie bis zum Rand gefüllt sind, sagt Jesus: »Nun schöpft etwas und bringt es dem Küchenchef« (Vers 8). Als dieser die Flüssigkeit probiert, ruft er den Bräutigam zu sich und sagt: »Jeder bringt doch zunächst den guten Wein auf den Tisch und setzt erst dann den weniger guten vor, wenn die Gäste schon betrunken sind. Aber du hast den guten Wein bis jetzt aufgehoben« (Vers 10). Bei einer Hochzeit wäre der Bräutigam für den Wein auf der Hochzeit zuständig gewesen. Doch Jesus nimmt ihm diese Rolle ab und sorgt nicht nur für *mehr* Wein, sondern für *besseren* Wein, als die Gäste zuvor hatten. Dieser Hinweis auf die Identität Jesu wird im nächsten Kapitel im Johannesevangelium weiter ausgeführt, als Johannes der Täufer von Jesus sagt:

> Wer die Braut bekommt, ist der Bräutigam. Der Freund des Bräutigams steht dabei und freut sich von Herzen, wenn er

2 In Johannes 7,30 und 8,20 entging Jesus einer Gefangennahme, »weil seine Stunde noch nicht gekommen war«, während er in Johannes 12,23 in Vorausschau auf seine Kreuzigung sagte: »Die Zeit ist gekommen, in der die Herrlichkeit des Menschensohnes sichtbar wird«, und hinzufügt: »Ich bin jetzt voller Angst und Unruhe. Soll ich beten: ›Vater, rette mich vor dem, was auf mich zukommt?‹ Aber deswegen bin ich ja gerade in diese Zeit hineingekommen« (12,27). Siehe auch »Jesus wusste, dass die Zeit für ihn gekommen war, diese Welt zu verlassen und zum Vater zu gehen« (13,1) und »Vater, die Stunde ist gekommen. Offenbare die Herrlichkeit deines Sohnes, damit auch der Sohn deine Herrlichkeit offenbar machen kann« (17,1).

> dessen Stimme hört. Das ist die Freude, die mich jetzt erfüllt. (Johannes 3,29)[3]

Im Alten Testament wird Gott als liebender, treuer Ehemann Israels, seiner allzu oft ungläubigen Frau, porträtiert.[4] Im Neuen Testament tritt Jesus als Bräutigam auf die Bildfläche.

Jesu Wasser-zu-Wein-Wunder deutet sowohl auf seine Identität als der Bräutigam hin als auch darauf, dass Gott mit Freude für sein Volk sorgt. Die Bibel verheißt ein zukünftiges Fest, bei dem es üppiges Essen und den besten Wein geben wird. Zum Beispiel verkündet Jesaja:

> Hier auf dem Zionsberg wird es geschehen: Jahwe, der Allmächtige, wird alle Völker zum Fest einladen, zu einem Mahl mit feinsten Speisen und einem guten Tropfen, mit kräftigen, köstlichen Gerichten und gut gelagertem alten Wein. (Jesaja 25,6)[5]

Wie bei vielen anderen Dingen, die Gott gemacht hat, weisen Essen und Trinken im Überfluss auf Gottes überströmende Liebe zu uns hin. Als Jesus auf der Hochzeit zu Kana für den edelsten Wein sorgt, zeigt er, dass er die Quelle des zukünftigen Festes ist; des Festes, bei dem all unser Durst gestillt werden und unser Wunsch nach Lachen, Gemeinschaft und Freude erfüllt sein wird.

Seine Mutter Maria weiß, was er zu tun vermag, und kommt darum zu ihm. Jesu nächste im Johannesevangelium festgehaltene Unterhaltung mit einer Frau führt er aber mit einer Fremden.

LEBENDIGES WASSER

Man könnte vermuten, dass Jesu Gespräch mit seiner Mutter sein längstes Gespräch mit einer Frau war. Immerhin wäre es am angemes-

3 Siehe auch im Markusevangelium, als die Pharisäer Jesus fragen, warum seine Jünger nicht fasten: »Können die Hochzeitsgäste denn fasten, wenn der Bräutigam noch bei ihnen ist?« (Markus 2,19).

4 Siehe z. B. Jesaja 54,5; Jeremia 2,2; 3,1; Hosea 2; Hesekiel 16.

5 Siehe auch die Einladung des Herrn später in Jesaja: »Ihr Durstigen alle, kommt her zum Wasser! Kommt her, auch wenn ihr kein Geld habt! Kauft und esst! Ja kommt, kauft ohne Geld, kauft Wein und Milch! Es kostet nichts« (Jesaja 55,1).

sensten gewesen, wenn sie die Gesprächspartnerin für einen unverheirateten Rabbi war, besonders für private Einzelgespräche. Stattdessen ist das längste aufgezeichnete Privatgespräch zwischen Jesus und einer weiteren Person eines mit einer Frau, die andere jüdische Männer um jeden Preis gemieden hätten. Diese Frau ist im Johannesevangelium die erste Person, der sich Jesus ausdrücklich als der Christus zu erkennen gibt; dabei ist sie die letzte Person, mit der ein seriöser Rabbi alleine Zeit verbringen sollte.

Jesus und seine Jünger sind auf dem Rückweg von Judäa (im Süden) nach Galiläa (im Norden), als sie in der Nähe einer samaritanischen Stadt Rast einlegen. Samarien lag genau zwischen Judäa und Galiläa, doch Juden nahmen wegen der Feindschaft zwischen Juden und Samaritanern oft einen enormen Umweg auf sich, um das Gebiet zu meiden. Nachdem die Assyrer 722 v. Chr. das Nordreich Israel erobert hatten, wurden die meisten ansässigen Israeliten verschleppt. Einige wurden zurückgelassen und gingen Mischehen mit Fremden aus anderen Teilen des Assyrischen Reichs ein, die dort angesiedelt worden waren (2. Könige 17,24–41). Aus diesen Mischehen gingen die Samaritaner hervor. Juden sahen Samaritaner als rassisch, aber auch religiös verunreinigt an. Wie die Juden beteten die Samaritaner zwar den Herrn an, doch sie erkannten nur die ersten fünf Bücher der Bibel an, und während Juden im Jerusalemer Tempel auf dem Berg Zion anbeteten, hatten sich die Samaritaner einen Ersatztempel auf dem Berg Garizim gebaut. Die Juden hatten diesen Tempel 128 v. Chr. zerstört, was die Feindschaft zwischen den beiden Seiten verstärkte. Doch anstatt seine Jünger von samaritanischem Boden fernzuhalten, führt Jesus sie direkt dorthin.

Es ist Mittag. Erschöpft von der Reise setzt sich Jesus am Jakobsbrunnen hin, um sich auszuruhen. Wasserschöpfen war traditionell die Aufgabe von Frauen, und wegen der sengenden Hitze kamen die Frauen früh am Morgen oder am späten Nachmittag. Doch als Jesus sich in der Mittagszeit an den Brunnen setzt, kommt eine samaritanische Frau, um Wasser zu schöpfen, und Jesus bittet sie um etwas zu trinken (Johannes 4,7). Johannes erhöht die Spannung noch weiter, indem er sagt, dass die Jünger in die Stadt gegangen seien, um Essen zu kaufen (Vers 8). Jesus ist offenbar alleine. Er überschreitet nun auch die sittliche Grenze allein schon dadurch, dass er mit ihr redet, geschweige denn, dass er sie bittet, das Trinkgefäß mit ihm zu teilen. »Wie kannst du mich um etwas zu trinken bitten? Du bist doch ein Jude und ich eine Samaritanerin« (Vers 9), entgegnet sie. Und für den Fall, dass Johannes' Leser noch immer im Unklaren darüber sind, was für ein Tabu dies war, fügt der Evangelist hinzu: »Die Juden vermeiden nämlich jeden Umgang mit Samaritanern« (Vers 9). Wenn wir uns in diesem Moment in ihre Situation hineinversetzen und Jesus durch die Augen dieser samaritanischen Frau betrachten, sehen wir ihn als einen jüdischen Mann, der sämtliche ethnischen und sozialen Grenzen seiner Zeit mit Füßen tritt. Vielleicht fragt die Frau sich, worauf er *wirklich* aus ist. Doch Jesus ist an diesen Ort nicht wegen dem gekommen, was er bekommen kann, sondern wegen dem, was er zu geben hat.

»Wenn du wüsstest«, antwortet Jesus, »welche Gabe Gott für dich bereithält und wer es ist, der zu dir sagt: ›Gib mir zu trinken‹, dann hättest du *ihn* gebeten, und er hätte *dir* lebendiges Wasser gegeben« (Vers 10). Die Frau denkt, dass das Schockierende daran, dass Jesus sie nach etwas zu trinken fragt, die große soziale Kluft ist, die er missachtet. Doch laut Jesu eigener Worte ist das *wirklich* Schockierende die Tatsache, dass er *sie* nach etwas zu trinken fragt und nicht umgekehrt. »Lebendiges Wasser« könnte einfach nur frisches Quellwasser bedeuten. Doch der Ausdruck ist auch geistlich geladen. Durch den Propheten Jeremia hatte Gott geklagt: »[M]ein Volk hat doppelt Unrecht getan: Mich verließen sie, die Quelle lebendigen Wassers, um sich Regengruben auszuhauen, Zisternen mit Rissen, die das Wasser nicht halten« (Jeremia 2,13). Später verkündet Jeremia: »[s]ie verließen Jahwe, die Quelle frischen Wassers« (17,13). Nun, bei einer konkreten Quelle sitzend, trifft Jesus eine theologische Aussage: Er ist der Herr, die Quelle lebendigen Wassers.

Die samaritanische Frau versteht nicht, was Jesus meint. Dennoch bemerkt sie, dass er eine kühne Behauptung aufstellt:

> »Herr«, sagte die Frau, »du hast doch nichts, womit du Wasser schöpfen kannst; und der Brunnen ist tief. Woher willst du denn dieses lebendige Wasser haben? Bist du etwa größer als unser Stammvater Jakob, der uns diesen Brunnen hinterließ? Kannst du uns besseres Wasser geben als

> das, was er mit seinen Söhnen und seinen Herden trank?«
> (Johannes 4,11–12)

Sowohl Juden als auch Samaritaner betrachteten sich als die wahren Träger der Fackel, die von Abraham durch Isaak und Jakob, den Vater der zwölf Stämme Israels, weitergegeben wurde. Zu behaupten, größer zu sein als Jakob, wäre eine ziemliche Anmaßung gewesen. Aus der Sicht dieser Frau muss die Antwort auf ihre Frage »Nein« lauten. Sicherlich hält sich dieser jüdische Rabbi nicht für größer als Jakob! Doch anstatt ihre Frage zu beantworten, erhöht Jesus den Einsatz:

> Jeder, der von diesem Wasser trinkt, wird wieder durstig werden. Wer aber von dem Wasser trinkt, das ich ihm geben werde, wird niemals mehr Durst bekommen. Das Wasser, das ich ihm gebe, wird in ihm eine Quelle werden, aus der Wasser sprudelt – bis ins ewige Leben. (Verse 13–14)

Jesus steigt hier noch tiefer in die Metapher aus Jeremia ein: Er ist die Quelle des lebendigen Wassers, und jeder, der ihn aufnimmt, wird wiederum zu einer Quelle. Diese Aussage trifft Jesus auch an späterer Stelle im Johannesevangelium, als er im Tempel steht und ruft: »Wenn jemand Durst hat, soll er zu mir kommen und trinken! Wer an mich glaubt, aus dem werden – wie die Schrift gesagt hat – Ströme lebendigen Wassers fließen« (Johannes 7,37–38). Doch bevor er dies in der Öffentlichkeit seinen Volksgenossen an dem am ehesten zu erwartenden Ort verkündet, verrät er es dieser Fremden im Privaten an dem am wenigsten zu erwartenden Ort.

Die Samaritanerin antwortet mit einem Wirrwarr aus Missverständnissen und Hoffnung: »›Herr, gib mir dieses Wasser‹, bittet die Frau. ‚Dann werde ich keinen Durst mehr haben und muss nicht mehr zum Schöpfen herkommen‹« (Johannes 4,15). Sie will das, von dem Jesus sagt, dass er es hat. Doch sie erkennt nicht, was er ihr wirklich anbietet. Ich finde mich regelmäßig in dieser Situation wieder: dass ich Jesus als Mittel zum Zweck ansehe und ihn um Dinge bitte, die ich will – oder sogar brauche. Vielleicht kommt dir das auch bekannt vor. Könnte es sein, dass Jesus in deinem Leben bloß als himmlischer Weihnachtsmann vorkommt – jemand, bei dem du deine Wunschliste abgeben kannst und der wenigstens den Rändern deines öden Alltags einen Hauch von Zauber verleiht? Jesus ist zwar die Quelle aller guten Dinge, die wir haben, und er hört sich gerne unsere Gebete an. Aber wenn wir wüssten, welche Gabe Gott für uns bereithält und mit wem wir reden, dann würden wir ihn zuallererst bitten, uns sich selbst zu geben.

Jesu nächste Aufforderung klingt in unseren modernen Ohren ganz anders als in den Ohren dieser Frau vor langer Zeit. »Geh und hole deinen Mann hierher«, sagt er (Johannes 4,16). Im Lichte des ersten Jahrhunderts betrachtet war diese Aufforderung längst überfällig. Dieses Einzelgespräch war ganz einfach unangemessen. Es wäre viel besser, wenn ihr Ehemann da wäre. Aus unserer Sicht mag es frauenfeindlich klingen – als könne die Frau nicht für sich selbst reden. Doch im weiteren Verlauf des Gesprächs stellen wir fest, dass ihr und unser Verständnis der Worte Jesu beide falsch sind. Die Frau antwortet: »Ich habe keinen Mann« (Vers 17), und Jesus zeigt ihr seine eigenen Karten, indem er ihre offenlegt:

> »Das ist richtig«, erwiderte Jesus. »Du hast keinen Mann. Fünf Männer hast du gehabt, und der, den du jetzt hast, ist nicht dein Mann. Da hast du etwas Wahres gesagt.« (Johannes 4,17–18)

Warum sagt Jesus das? Will er sie bloßstellen? Nein. Er macht ihr klar, dass er ihre Geschichte schon kannte, als er sie anfangs nach etwas zu trinken fragte. Diese Frau war vielleicht moralisch entwertet: von Mann zu Mann weitergereicht. An diesem Punkt in ihrem Leben und in ihrer Kultur wäre sie mit einer Prostituierten praktisch gleichgestellt. Oder möglicherweise war sie schon mehrere Male verwitwet und lebte nun in einer eheähnlichen Gemeinschaft. Wir kennen die Details nicht. Aber Jesus schon. Und er geht nicht auf Abstand zu dieser sexuell fragwürdigen Fremden. Stattdessen nutzt er sein Wissen über ihre Identität, um ihr mehr von seiner eigenen zu offenbaren.

Wie sehen wir Jesus durch die Augen dieser Frau? Sie sagt: »Herr, ich sehe, dass du ein Prophet bist« (Johannes 4,19). Die Samaritanerin sieht, dass Jesus ein Prophet ist, weil er ihre ganze Geschichte sieht.

Diese Fremde ist nicht so tief gesunken, dass der Sohn Gottes sie übersehen könnte. Jesus kennt ihre Lebensgeschichte, genauso wie er auch deine und meine kennt.

Als die Samaritanerin merkt, dass sie sich gerade mit einem Propheten unterhält, stellt sie eine theologische Frage: »Unsere Vorfahren haben Gott auf diesem Berg hier angebetet. Ihr Juden aber sagt, dass nur in Jerusalem der Ort ist, wo man Gott anbeten darf« (Johannes 4,20). Der Berg, auf den sie Bezug nimmt, ist der Berg Garizim, der vom Jakobsbrunnen aus zu sehen war. Doch anstatt sich mit ihr über Jerusalem als den richtigen Ort zur Anbetung zu streiten, antwortet Jesus:

> Glaube mir, Frau, es kommt die Zeit, wo ihr den Vater weder auf diesem Berg noch in Jerusalem anbeten werdet. Ihr Samaritaner betet zu Gott, ohne ihn zu kennen. Wir jedoch wissen, wen wir anbeten, denn das Heil für die Menschen kommt von den Juden. Doch es wird die Zeit kommen – sie hat sogar schon angefangen –, wo die wahren Anbeter den Vater in Geist und Wahrhaftigkeit anbeten. Von solchen Menschen will der Vater angebetet werden. (Johannes 4,21–24)

Auf der Hochzeit zu Kana hatte Jesus seiner Mutter gesagt, dass seine Zeit noch nicht gekommen war (Johannes 2,4). Nun sagt er der Frau, »es wird die Zeit kommen«, wenn die wahren Anbeter Gott nicht in Tempeln anbeten werden, sondern in Geist und Wahrheit. Ja mehr noch: Er sagt, die Zeit habe sogar schon angefangen. »Ich weiß, dass der Messias kommt, der auch Christus genannt wird«, antwortet sie. »Und wenn er kommt, wird er uns all diese Dinge erklären« (Johannes 4,25). Jesus entgegnet in Vers 26: »Du sprichst mit ihm. Ich bin's.« Wie der Neutestamentler Craig Evans feststellt, ist Jesu Aussage im original Griechischen »nachdrücklich und ungewöhnlich«. In unserer Übersetzung hört es sich dagegen so natürlich an, dass man leicht über dieses erste »Ich-bin«-Wort Jesu hinwegliest.[6]

6 Siehe Craig A. Evans, *The Bible Knowledge Background Commentary: John's Gospel, Hebrews–Revelation* (Colorado Springs: David C. Cook, 2005).

Wie wir schon im letzten Kapitel festgestellt haben, sind fast alle anderen »Ich-bin«-Worte im Johannesevangelium an Personengruppen gerichtet. Die zwei Ausnahmen sind Jesu Worte an Marta – »Ich bin die Auferstehung und das Leben« (Johannes 11,25) – und seine Antwort an diese samaritanische Frau. Dies ist das erste Mal im Johannesevangelium, dass Jesus ausdrücklich erklärt, dass er der Messias ist. Damit stellt Jesus eine noch erstaunlichere Behauptung auf.

Jesu »Ich-bin«-Worte gewähren uns jedes Mal einen neuen Blick darauf, wer er ist. Zunächst scheint es so, als seien seine Worte an die Samaritanerin eine Ausnahme. Doch wenn wir genauer hinsehen, gibt Jesus uns einen tieferen Einblick in seine Identität, indem er der samaritanischen Frau sagt: »Du sprichst mit ihm. Ich bin's.« Jesus sagt damit, dass er der Messias und der einzig wahre Gott des Bundes ist. Doch gleichzeitig ist er derjenige, der mit dieser fremden, vermutlich sexuell kompromittierten Frau spricht. Er hätte einfach sagen können: »Ich bin es.« Doch durch die Augen dieser Frau betrachtet sehen wir Jesus als den lange verheißenen König und ewigen Gott, der sich bewusst mit ihr unterhält. Egal, für wie unbedeutend wir uns halten; egal, wie ausgegrenzt wir uns fühlen; egal, wie oft wir schon verlassen und ausgestoßen wurden – hier sehen wir Jesus als den Gott, der Zeit mit uns verbringen will.

In dem Moment, in dem Jesus der Frau gegenüber seine Identität preisgibt, kommen die Jünger zurück. Sie sind erstaunt, dass er mit ihr redet, trauen sich aber nicht, ihn zu fragen warum (Johannes 4,27). Dann liefert Johannes uns dieses wunderbar bewegende Detail: »Die Frau nun ließ ihren Wasserkrug neben dem Brunnen stehen, ging in den Ort und verkündete den Leuten: ›Da ist einer, der mir alles gesagt hat, was ich getan habe. Los, kommt mit und seht ihn euch an! Vielleicht ist er der Messias‹« (Johannes 4,28–29).

Als Jesus Simon Petrus und Andreas berief, verließen sie ihre Netze und folgten ihm nach (Matthäus 4,18–20). Als er Jakobus und Johannes berief, verließen sie ihr Boot und ihren Vater und folgten Jesus nach (Verse 21–22). Diese Frau lässt ihren Wasserkrug zurück, um allen Menschen in der Stadt von Jesus zu erzählen. Was war ihr Beweis für Jesu Identität als der lange verheißene König Gottes? Dass er alles wusste, was sie jemals getan hatte.

Wir alle sehnen uns danach, dass jemand uns innig kennt und uns liebt. Aber so oft meinen wir, wir müssten kontrollieren, wie viel man von uns kennt, denn wir haben Angst, dass die Leute, wenn sie die ganze Wahrheit über uns wüssten – unsere dunkelsten Gedanken, unseren Neid, unsere Falschheit, unsere Gelüste, unsere gescheiterten Beziehungen –, uns nicht lieben würden. In Jesus begegnet diese Frau einem Mann, der sie voll und ganz kennt. Er hätte sie an dem Brunnen ignorieren oder sich von ihr entfernen können. Stattdessen stillt er ihr tiefstes Bedürfnis, indem er ihr sagt, wer er ist.

Jesu Wissen über diese Frau wurde ein zentraler Bestandteil ihres Berichts über ihn. Johannes schreibt:

> Viele Samaritaner aus dem Ort glaubten schon deshalb an Jesus, weil die Frau überall erzählt hatte: »Der Mann weiß alles, was ich getan habe.« Als sie dann zu Jesus hinauskamen, baten sie ihn, länger bei ihnen zu bleiben. Er blieb zwei Tage dort, und auf sein Wort hin glaubten noch viel mehr Menschen an ihn. »Nun glauben wir, weil wir ihn selbst gehört haben und nicht nur aufgrund deiner Worte«, sagten sie zu der Frau. »Jetzt wissen wir, dass er wirklich der Retter der Welt ist.« (Johannes 4,39–42)

Durch die Botschaft dieser Frau über Jesus kamen Menschen herbei, die mit dem Hass gegenüber Juden aufgewachsen waren, um diesen jüdischen Rabbi anzuhören, und baten ihn, bei ihnen zu bleiben. Als er mit ihnen redete, wie er zuvor mit der Frau am Brunnen geredet hatte, erkannten sie ihn als den, der er wirklich ist: den Retter der Welt; den einen, dessen lebendiges Wasser jedem zur Verfügung steht, der Durst hat und zu ihm kommt.

DAS BROT DER KINDER

Eine weitere Unterhaltung Jesu mit einer fremden Frau finden wir im Markus- und im Matthäusevangelium. Darin liegt die Betonung auf der umfassenden Reichweite seiner Mission. Die Szene spielt in einer heidnischen Region nördlich von Galiläa. Den unmittelbaren Kontext bildet eine Auseinandersetzung zwischen Jesus und den Pharisäern, die kritisierten, dass Jesu Jünger vor dem Essen ihre Hände nicht wuschen, wie es die Reinigungsvorschriften vorsahen. Jesus nennt sie Heuchler und stellt klar, dass nicht das, was in den Magen geht, einen Menschen unrein macht, sondern das, was aus dem Herzen kommt (Matthäus 15,7–20; Markus 7,6–23). Anschließend steht Jesus auf und zieht in die heidnische Region von Tyrus und Sidon (Matthäus 15,21; Markus 7,24).

Als Jesus dort ankommt, will er sich eine Zeit lang zurückziehen. Doch von Markus erfahren wir: »Schon hatte eine Frau von ihm gehört, deren kleine Tochter von einem bösen Geist besessen war. Sie kam und warf sich Jesus zu Füßen« (Markus 7,25). Markus betont die Nationalität dieser Frau: »Die Frau war eine Griechin und stammte aus dieser Gegend, dem syrischen Phönizien« (Vers 26). Tyrus und Sidon lagen in Phönizien, somit wird hier vermittelt, dass sie ortsansässig war und ausdrücklich nicht jüdisch. Matthäus stellt dieselbe Tatsache mit einer anderen Formulierung heraus, indem er sie »eine Kanaaniterin aus jener Gegend« nennt (Matthäus 15,22). Die Kanaaniter waren die ursprünglichen Bewohner des Landes, das Gott den Israeliten versprochen hatte. Es gab sie zwar nicht mehr als eigene Volksgruppe, doch dadurch, dass Matthäus sie eine kanaanäische Frau nennt, betont er ihre ethnische und religiöse Fremdartigkeit. Diese Frau ist eine Außenseiterin im wahrsten Sinne des Wortes. Und doch stellen wir fest, dass sie besser versteht, wer Jesus ist, als die jüdischen Anführer, denen Jesus kurz zuvor begegnet ist.

Im Bericht im Matthäusevangelium kommt die Frau zu Jesus und ruft: »Herr, du Sohn Davids, hab Erbarmen mit mir! Meine Tochter wird von einem bösen Geist furchtbar gequält« (Matthäus 15,22). Doch genauso wie beim ersten Hilferuf von Maria und Marta zeigt Jesus auch hier keine Reaktion. Diese Fremde lässt sich aber nicht beirren. Sie bittet ihn immer weiter, bis die Jünger ihn anflehen: »Entlass sie! Denn sie schreit hinter uns her!« (Verse 22–23). Anstatt jedoch auf die Forderung der Jünger einzugehen, wendet sich Jesus schließlich direkt an die Frau: »Ich bin nur zu den verlorenen Schafen des Hauses Israel gesandt« (Vers 24). Jesus bediente sich derselben Sprache, als er etwas früher im Matthäusevangelium seine zwölf Apostel aussandte mit der Anweisung, zu heilen und zu predigen: »Meidet die Orte, wo Nichtjuden wohnen, und geht auch nicht in die Städte der Samaritaner, sondern geht zu den verlorenen Schafen des Volkes Israel!« (Matthäus 10,5–6). Die Juden sollten die Heilsbotschaft zuerst erfahren. Doch die Frau lässt sich nicht abweisen. Sie geht auf Jesus zu, kniet vor ihm nieder und sagt einfach nur: »Herr, hilf mir« (Matthäus 15,25). Wenn mein dreijähriger Sohn Luke vergeblich versucht hat, meine Aufmerksamkeit zu gewinnen, kommt er manchmal zu mir, nimmt mein Gesicht zwischen seine Hände und stellt mir seine Frage, während sich unsere Nasen berühren. Die Frau in der Geschichte kniet zwar vor Jesus nieder, aber der Effekt ist derselbe.

Jesu Antwort hört sich für uns furchtbar an: »Es ist nicht recht, den Kindern das Brot wegzunehmen und es den Haushunden vorzuwerfen« (Vers 26). Im Alten Testament werden die Israeliten häufig Gottes Kinder genannt. Zur Zeit Jesu nannten die Juden ihrerseits die Nichtjuden manchmal Hunde. Es ist gut vorstellbar, dass Jesu Jünger – als Juden – diese Worte mit einem zustimmenden Nicken bekräftigten. Doch anstatt angesichts der Beleidigung zusammenzufahren, greift die Frau Jesu Metapher auf und sagt: »Das ist wahr, Herr, aber die Hündchen unter dem Tisch dürfen doch die Brotkrumen fressen, die ihre Herren fallen lassen« (Matthäus 15,27). Jesus kam gerade erst von den Pharisäern, die ihm eine Lektion erteilen wollten, wie seine Jünger zu essen hätten. Er nannte sie »Heuchler« und »blinde Blindenführer« (Verse 7 und 14), die keine Ahnung hatten, wovon sie redeten. Doch diese Frau versteht, was die Pharisäer nicht verstehen konnten. Sie weiß, dass sie kein Recht hat, am Tisch Jesu zu sitzen. Und Jesus nimmt gerade die auf, die wissen, dass sie keinen Anspruch haben. Er antwortet: »Frau, dein Vertrauen ist groß! Was du willst, soll geschehen!« Und im selben Moment war ihre Tochter geheilt (Vers 28).

Einige Ausleger argumentieren, dass diese heidnische Frau Jesus umgestimmt hat. Doch dass Jesus auch die Heiden aufnimmt, wurde schon an früherer Stelle im Matthäusevangelium deutlich, als Jesus dem römischen Hauptmann begegnete. Dieser wollte, dass Jesus seinen schrecklich leidenden Diener heilte, wusste jedoch, dass er nicht würdig war, dass Jesus in sein Haus käme. Die Demut und das Vertrauen dieses Mannes beeindruckten Jesus so sehr, dass er zu seinen Jüngern sagte:

> Ich versichere euch: Solch einen großen Glauben habe ich nicht einmal in Israel gefunden. Und ich sage euch: Aus allen Himmelsrichtungen werden viele Menschen kommen und zusammen mit Abraham, Isaak und Jakob ihre Plätze im Reich des Himmels einnehmen. Aber die Bürger des Reiches werden hinausgeworfen in die tiefste Finsternis. Dort fängt dann das große Weinen und Zähneknirschen an. (Matthäus 8,10–12)

Jesus erkennt an, dass die Juden die rechtmäßigen Erben des Reiches Gottes sind: die »Bürger des Reiches« oder, wie er sie gegenüber der Syrophönizierin nennt, die »Kinder«. Doch jeder Jude, der sich von Jesus abwendet, wird aus dem Reich hinausgeworfen, während jeder Nichtjude, der ihn annimmt, aufgenommen wird. Die Syrophönizierin hat Jesus nicht umgestimmt. Vielmehr gibt ihr dieser Dialog die Möglichkeit, ihren demütigen Glauben unter Beweis zu stellen.

Wie sehen wir Jesus durch die Augen dieser verzweifelten heidnischen Frau? Wir sehen ihn als den Sohn Davids, der die Macht hat, Menschen von geistlichen Krankheiten zu heilen und zu retten, und als den, den wir nicht verdient haben und der dennoch Erbarmen mit uns haben wird. Wir sehen, dass sogar die Krumen, die von Jesu Tisch fallen, genug für uns sind, aber dass Jesus alle, die auf ihn vertrauen, zum ewigen Festmahl einlädt. Die Syrophönizierin kniet vor Jesus nieder und spricht eine Bitte für ihr Kind aus. Die nächste Frau, die das im Matthäusevangelium tut, ist nicht nur Jüdin, sondern auch die Mutter von zwei von Jesu engsten Jüngern, und deswegen wohl erwartet sie, bei Jesus Gehör zu finden. Die Erzählung endet jedoch ganz anders als erwartet.

DER BITTERE KELCH

Als Jesus Jakobus und Johannes in seine Nachfolge ruft, befinden sie sich gerade in einem Boot mit ihrem Vater Zebedäus und flicken ihre Netze. Doch auf Jesu Ruf hin »verließen sie das Boot und ihren Vater und folgten ihm« (Matthäus 4,22). Die Brüder werden in allen vier Evangelien »Söhne des Zebedäus« genannt. Ihre Mutter wurde bisher nicht erwähnt. Doch Matthäus berichtet, dass nach Jesu dritter Ankündigung seiner Kreuzigung und Auferstehung Folgendes passiert: »Da trat die Mutter der Zebedäussöhne in Begleitung ihrer Söhne an Jesus heran und warf sich vor ihm nieder. Sie wollte etwas von ihm erbitten« (Matthäus 20,20). Ihre ersten aufgezeichneten Worte zeigen allerdings, dass sie, wie Jesu Apostel, nicht verstanden hat, worum es in Jesu Reich geht. Jesus fragt: »Was möchtest du?«, woraufhin sie erwidert: »Erlaube doch, dass meine beiden Söhne in deinem Reich einmal rechts und links neben dir sitzen!« (Vers 21). In seinem Bericht darüber lenkt Markus unsere Aufmerksamkeit auf Jakobus und Johannes selbst (Markus 10,35–40). Offenbar war es ein gemeinsames Anliegen der Söhne und ihrer Mutter. Matthäus aber konzentriert sich auf die Rolle der Mutter.

Wie sehen wir Jesus durch die Augen der Mutter der Zebedäussöhne? Wir sehen ihren Glauben, dass Jesus der von Gott verheißene König ist, der für Vorteile und Ruhm für seine treuesten Nachfolger sorgen kann.

Wenn du so beschaffen bist wie ich, dann hast du Jesus vielleicht schon mal so gesehen. Du hast dich vor ihn hingekniet, nicht um ihn anzubeten, sondern um ihn zu bitten, deinen Wunsch nach Erfolg in Erfüllung gehen zu lassen. Vielleicht hielt es die Frau für vernünftig und sich auch gar nicht für egoistisch. Immerhin wollte sie nichts für sich selbst, sondern für ihre Jungs. Doch jeder, der Kinder hat, weiß, wie leicht man seine eigenen Träume durch seine Kinder verwirklicht sehen möchte und sich selbst einredet, dass das kein Egoismus ist.

Jesus beantwortet die Bitte der Mutter mit den Worten: »Ihr wisst nicht, was ihr da verlangt! Könnt ihr den Kelch austrinken, den ich trinken muss?« (Matthäus 20,22). Jesus spricht im Plural und richtet sich damit sehr wahrscheinlich an alle drei, aber Jakobus und Johannes antworten auf seine Frage: »Ja, das können wir« (Vers 22). Sie begreifen genauso wenig wie ihre Mutter. Diese Frau denkt, dass sie auf diese Weise Ansehen für ihre Söhne sichert. Doch Jesus sagt, dass sie ihn in Wirklichkeit um Leid bittet.

Die nächste Erwähnung der Söhne des Zebedäus bei Matthäus steht in Verbindung mit der Nacht, als Jesus verraten wird. Er geht mit seinen Jüngern an einen Ort, der Gethsemane genannt wird, und sagt ihnen: »Setzt euch hierhin! Ich gehe noch ein Stück weiter, um zu beten«

(Matthäus 26,36). Dann aber nimmt er »Petrus und die beiden Zebedäussöhne« mit (Vers 37). Er sagt zu ihnen: »Die Qualen meiner Seele bringen mich fast um. Bleibt hier und wacht mit mir!« Dann geht er wieder etwas weiter, fällt auf sein Angesicht und betet: »Mein Vater, wenn es möglich ist, dann gehe dieser Kelch an mir vorbei! Aber nicht wie ich will, sondern wie du willst« (Verse 38–39).

Im Alten Testament bedeutete der Kelch Jahwes sein Gericht über Sünde. Der Prophet Jeremia schreibt: »Denn so hat Jahwe, der Gott Israels, zu mir gesprochen: ›Nimm diesen Becher aus meiner Hand und gib ihn all den Völkern zu trinken, zu denen ich dich sende. Er ist voll mit dem Wein meines Zorns‹« (Jeremia 25,15). Wider alles Erwarten ist das erste »Volk«, dem dieser Becher gegeben wird, ausgerechnet Gottes eigenes Volk (Vers 18). Jesaja, Habakuk und Hesekiel verwenden dieselbe Metapher (Jesaja 51,17–22; Habakuk 2,16; Hesekiel 23,31). Als Jesus kurz vor der Kreuzigung steht, graut ihm vor diesem Kelch. Wären Jakobus und Johannes imstande, aus ihm zu trinken? Überhaupt nicht. Nein, während Jesus seinen Vater anfleht, schlafen Jakobus und Johannes sowie alle anderen Jünger tief und fest. Etwas früher an diesem Abend *hatten* sie jedoch bereits Wein aus einem anderen Kelch getrunken. Beim Abendessen hatte Jesus den Kelch genommen und, nachdem er gedankt hatte, ihn seinen Jüngern gegeben: »Trinkt alle daraus! Das ist mein Blut, das Blut des Bundes, das für viele vergossen wird zur Vergebung der Sünden« (Matthäus 26,27–28). Weil Jesus den Kelch des Zornes Gottes über Sünde trinken würde, konnte er den Kelch seines Blutes zur Vergebung der Sünden mit ihnen teilen. Auch Jakobus und Johannes würden als Jünger Jesu aus dem Kelch des Leides trinken. In Apostelgeschichte 12,2 lesen wir sogar, dass Jakobus den Märtyrertod starb. Die Brüder beantworten Jesu Frage mit: »Ja, das können wir.« Er entgegnet ihnen: »Aus meinem Leidenskelch werdet ihr zwar trinken, aber ich kann trotzdem nicht bestimmen, wer auf den Plätzen rechts und links von mir sitzen wird. Das hat mein Vater entschieden« (Matthäus 20,22–23).

Die übrigen von Jesu zwölf Aposteln sind verärgert, als sie von Jakobus' und Johannes' Bitte hören. Wie können sie es wagen, sich die besten Plätze in Jesu Reich sichern zu wollen? Doch Jesus ruft sie alle zu sich und erklärt ihnen, dass Größe in seinem Reich nicht durch den eigennützigen Gebrauch von Macht erreicht wird, sondern durchs Dienen. Er erklärt das so: »Wer bei euch groß sein will, soll euer Diener sein, und wer bei euch der Erste sein will, soll euer Sklave sein. Auch der Menschensohn ist nicht gekommen, um sich bedienen zu lassen, sondern um zu dienen und sein Leben als Lösegeld für viele zu geben« (Matthäus 20,26–28). Die Mutter der Söhne des Zebedäus musste die Wucht dieser Zurechtweisung spüren: Sie lag absolut falsch. Doch das ist nicht das Letzte, was wir über sie hören.

Die Mutter der Zebedäussöhne gehört zu den von Matthäus genannten Augenzeugen der Kreuzigung Jesu. Hier erfahren wir, dass sie ihm schon zu Anfang seines Wirkens in Galiläa gefolgt war (Matthäus 27,55–56). Diese Frau sah die Anklagetafel über seinem Kopf: »Das hier ist Jesus, der König der Juden« (Vers 37). Sie sah die zwei Räuber, die mit ihm gekreuzigt wurden, einer zu seiner Rechten und einer zu seiner Linken (Vers 38). In diesem Moment muss ihr klar geworden sein, dass sie falschgelegen hatte. Doch sie blieb bis zum Ende bei Jesus und konnte wahrscheinlich später beobachten, wie ihre Söhne, Jakobus und Johannes, mutige Zeugen für Jesus als den auferstandenen Christus wurden – den König, der den Kelch trank und durch das Kreuz in sein Reich eintrat.

»ICH HABE DURST«

Die Mutter der Söhne des Zebedäus war nicht die einzige Mutter, die Jesu Sterben sah. Der Evangelist Johannes berichtet, dass auch Maria, die Mutter von Jesus, Zeugin der Kreuzigung wurde. Maria hatte die Schreie ihres neugeborenen Jesus mit ihrer Muttermilch gestillt. Sie hatte gesehen, wie ihr erwachsener Sohn Wasser zu Wein machte. Nun sah sie den vor Durst stöhnenden Jesus sterben:

> Weil Jesus wusste, dass nun alles vollbracht war, sagte er: »Ich habe Durst!« Denn er wollte auch in diesem Punkt die Voraussagen der Schrift erfüllen. Da tauchten die Soldaten einen Schwamm in das Gefäß mit Weinessig, das dort stand, steckten ihn auf einen Ysopstängel und hielten ihn Jesus an den Mund. Als Jesus von dem Essig genommen hatte, sag-

> te er: »Es ist vollbracht!« Dann ließ er den Kopf sinken und übergab den Geist. (Johannes 19,28–30)

Wie sehen wir Jesus durch die Augen seiner Mutter in diesem Augenblick? Wir sehen den, der die Macht hat, mehrere 100 Liter Wasser aus sechs Tonkrügen in den edelsten Wein zu verwandeln, und nun Durst leidet und dafür einen Schluck Essig bekommt. Wir können das Schwert sehen, das das Herz seiner Mutter durchbohrt – wie Simeon es vorhergesagt hatte –, sowie den unvergleichlich hohen Preis, den Jesus bezahlte, damit Sünder wie du und ich eines Tages für immer mit ihm essen und trinken können.

Wir sehen Essen und Trinken als das an, was unser Leben erhält und uns guttut; als das, was uns Entspannung und Kraft schenkt. Immer wieder stellt sich Jesus in den Evangelien als Essen und Trinken vor. Sein erstes »Ich bin« richtet er an die samaritanische Frau am Brunnen, nachdem er ihr lebendiges Wasser anbietet. Sein zweites »Ich bin« sagt er, nachdem er 5000 Menschen mit fünf Brotlaiben und zwei Fischen gesättigt hat: »Ich bin das Brot des Lebens. Wer zu mir kommt, wird nie mehr hungrig sein, und wer an mich glaubt, wird nie wieder Durst haben« (Johannes 6,35). Jesus ist das lebendige Wasser und das Brot des Lebens. Die Speise, die er liefert, entspringt seinem Tod. »Ich versichere euch mit allem Nachdruck«, erklärt Jesus. »Wenn ihr das Fleisch des Menschensohnes nicht esst und sein Blut nicht trinkt, könnt ihr das ewige Leben nicht in euch haben. Wer mein Fleisch isst und mein Blut trinkt, hat ewiges Leben, und ich werde ihn am letzten Tag erwecken vom Tod« (Verse 53–54). Ich weiß nicht, wie du heute über Essen und Trinken denkst. Ich weiß nicht, ob du sie hasst, weil du ihretwegen gegen Ernährungsprobleme zu kämpfen hast, oder ob dir Essen und Trinken Vergnügen bereitet. Aber ich weiß Folgendes: Ohne Jesus werden wir alle verhungern. Mit ihm werden wir ein ewiges, vor Liebe überströmendes, hoffnungserfüllendes Fest feiern.

DISKUSSIONSFRAGEN

Zum Einstieg: Was ist dein Lieblingsgetränk an einem heißen Sommertag?

1. Wie offenbart Jesus seine Identität als Bräutigam? Warum ist dieser Titel von Bedeutung?
2. Aus welchen Gründen ist Jesu Unterhaltung mit der Frau am Brunnen so brisant?
3. Was offenbart Jesus der Frau am Brunnen über sich selbst?
4. Was haben die Frau am Brunnen und die Frau, die Jesus um Heilung für ihre Tochter bittet, gemeinsam? Was offenbart Jesu Umgang mit ihnen über das Evangelium?
5. Was meinst du, warum Jesus Metaphern über Essen und Trinken benutzte, um sich selbst und das, was er uns anbietet, zu beschreiben? Was vermitteln uns diese Metaphern über seinen Charakter?
6. In welchen Bereichen in deinem Leben spürst du einen nicht gestillten Hunger?
7. Wie sollte es sich jetzt auf deine Beziehung zu Jesus auswirken, dass du ihn als den siehst, von dem alle wahre Speise kommt?
8. Was ist für dich der wichtigste Aspekt Jesu, wenn du ihn durch die Augen dieser Frauen siehst?

Genauer hinsehen: Lies Johannes 4,1–42.

1. Was sind die zwei wichtigsten Dinge, die Jesus der Frau am Brunnen im Gespräch offenbart? Siehe Johannes 4,10.
2. Was wird in Jesaja 44,3 mit Wasser verglichen, das auf trockenes Land fällt? Wie wirkt sich dieser Vers darauf aus, wie du die Gabe Gottes verstehst, auf die Jesus in Johannes 4,10 zu sprechen kommt? Wie könnte ein jüdisches Publikum auf die Tatsache reagieren, dass Jesus einer samaritanischen Frau diese Gabe anbietet?
3. Welche Rolle spielte die Frau am Brunnen in dem neu gewonnenen Glauben der anderen Bewohner ihrer Stadt? Was offenbart ihre Rolle dabei über unser Verständnis von Evangelisation?

KAPITEL 4

HEILUNG

Gestern im Gottesdienst saß ich neben meiner Freundin Grace, die wahrscheinlich nur noch wenige Monate zu leben hat. Das erste Mal hatte sie vor 23 Jahren Krebs, als ihre Tochter noch klein war. Jetzt ist der Krebs zurückgekommen und führt sein Werk zu Ende. Grace ist malaysische Chinesin. Ihr Mann, Raja, der bereits vor zehn Jahren gestorben ist, war Malaysier südindischer Abstammung. Man hatte bei ihm eine Herzkrankheit diagnostiziert und ihm zu einer Operation mit 97-prozentiger Überlebenswahrscheinlichkeit geraten. Wie sich herausstellte, gehörte er zu den drei Prozent. Grace und Raja haben sich als Kinder in der Sonntagsschule kennengelernt. Als Grace das erste Mal Krebs hatte, betete sie um Heilung. Dieses Mal hat sie das nicht gemacht. Sie betet nun stattdessen um Mut und um Hilfe, aber nicht um Heilung. Und obwohl sie für westliche Verhältnisse viel zu jung zum Sterben ist, fühlt sie sich »bereit, beim Herrn zu sein«. Mit einer sterbenden Freundin zu Jesus zu singen, die auf ihn als ihre Auferstehung und ihr Leben vertraut, ist eine ernüchternde Erfahrung. Die Worte haben einfach einen anderen Geschmack, wenn du neben jemandem singst, der schon bald herausfinden wird, ob sie wahr sind.

Ich weiß nicht, wie deine Krankenakte heute aussieht. Vielleicht bist du zurzeit in der Blüte deines Lebens und kerngesund. Vielleicht stehst du aber auch kurz vor dem Sterben – oder wie Hamlet den Tod nennt: »das unentdeckte Land, von des Bezirk kein Wandrer wiederkehrt«[1]. Wahrscheinlich bist du irgendwo dazwischen und hast immer

1 William Shakespeare, *Hamlet*, 3. Akt, Szene 3.

mal wieder Schmerzen und Wehwehchen und vorübergehende Krankheiten, die wie Gäste, ohne Einladung hereinschneien. Doch wir alle werden eines Tages sterben. Was hat Jesus also damit zu tun, dass wir unserem Ende entgegengehen, -rasen oder -kriechen?

Wie in Kapitel 1 erläutert, stellt Lukas uns die Jüngerinnen Jesu zum ersten Mal mit folgenden Worten vor: »Begleitet wurde er von den zwölf Jüngern und von einigen Frauen, die er von bösen Geistern befreit und von Krankheiten geheilt hatte« (Lukas 8,1–2). Seltsamerweise werden die Heilungsgeschichten der Frauen, die Lukas anschließend auch nennt, in den Evangelien nicht erzählt. Wir wissen nicht, woran Johanna oder Susanna gelitten haben, bevor sie Jesus begegnet sind, oder wie es kam, dass Maria aus Magdala von dämonischer Besessenheit geheilt wurde. Doch wir kennen die Geschichten anderer Frauen, von deren Heilung in den Evangelien berichtet wird. In diesem Kapitel werden wir Jesus durch deren Augen betrachten.

PETRUS' SCHWIEGERMUTTER

Die meisten Menschen, denen Jesus in den Evangelien begegnet, werden nicht namentlich genannt; daher ist es nicht verwunderlich, dass auch viele der Frauen, die Jesus heilt, nicht namentlich genannt werden. In den Heilungsgeschichten über Männer, die in den Evangelien erzählt werden, sind die einzigen, deren Namen genannt werden, der blinde Bartimäus, dessen Name nur im Markusevangelium fällt (Markus 10,46); Malchus, der Diener des Hohepriesters, dessen Name nur im Johannesevangelium erwähnt wird (Johannes 18,10); und Lazarus. Auch in all den Geschichten darüber, wie Jesus Frauen geheilt hat, bleiben diese ebenfalls anonym – außer einer. Und sie wird uns nicht anhand ihres Namens vorgestellt, sondern einfach als Verwandte von einem von Jesu Jüngern.

Die Heilung der Schwiegermutter von Simon Petrus ist die erste Geschichte über körperliche Heilung, die der Evangelist Markus uns überliefert, und sie folgt direkt auf die erste Geschichte über geistliche Heilung. Jesus lehrt gerade in der Synagoge in Kapernaum, als ein Mann, der von einem unreinen Geist besessen ist, schreit: »Was willst du von uns, Jesus von Nazaret? Bist du gekommen, uns zu vernichten? Ich weiß, wer du bist: der Heilige Gottes« (Markus 1,24). Jesus befiehlt dem Geist: »Schweig! Verlass den Mann«, und der unreine Geist zerrt den Mann hin und her. Mit lautem Geschrei fährt der Geist aus (Verse 25–26). Diese Begebenheit sorgte dafür, dass Jesus in der Region Galiläa bekannter wurde. Anschließend schreibt Markus:

> Sobald sie die Synagoge verlassen hatten, gingen sie in das Haus von Simon und Andreas. Auch Jakobus und Johannes kamen mit. Simons Schwiegermutter lag mit Fieber im Bett, und gleich erzählten sie es ihm. Da ging er zu ihr hin, fasste sie bei der Hand und richtete sie auf. Im selben Augenblick verschwand das Fieber, und sie konnte ihre Gäste bewirten. (Verse 29–31)

Die meisten Menschen, die Jesus in den Evangelien heilte, waren Fremde. In dieser Geschichte heilt Jesus eine Person, die er wahrscheinlich gut kannte. An Details wird zwar gespart, doch die Reaktion der Frau ist bezeichnend: Sobald Jesus sie heilt, fängt sie an, ihren Gästen zu dienen.

Matthäus, Markus und Lukas erzählen alle diese Geschichte. Wir könnten uns fragen warum. Aus den Hunderten oder Tausenden von Menschen, die Jesus heilte, warum heben sie gerade diese hier hervor? Wollten sie einfach nur die Rolle einer Frau als Dienerin unterstreichen? Ich glaube nicht. Wenn wir die Geschichte mit den Details aus allen drei Evangelien zusammen lesen, stellen wir fest, dass sie eben nicht unterstreicht, welcher der geeignete Platz für eine Frau ist. Das Verb für »dienen« *(diakoneo)*, das für Petrus' Schwiegermutter verwendet wird, wird auch für die Engel gebraucht, die Jesus dienten, nachdem er in der Wüste versucht worden war (Markus 1,13; Matthäus 4,11). Es beschreibt Jesu Jüngerinnen (Lukas 8,1–3). Es beschreibt Marta von Betanien, als sie dient, während ihre Schwester Maria zu Jesu Füßen sitzt und von ihm lernt, bevor Jesus Marias Entscheidung ausdrücklich lobt (Lukas 10,38–42). Und vor allem beschreibt es Jesus selbst, als er seinen Jüngern erklärt: »Wer bei euch groß sein will, soll euer Diener sein, und wer bei euch der Erste sein will, soll der Sklave von allen sein. Auch der Menschensohn ist nicht gekommen, um sich bedienen zu lassen, sondern um zu dienen und sein Leben als Lösegeld für viele zu geben«

(Markus 10,43–45). Die Reaktion von Petrus' Schwiegermutter auf die Heilung durch Jesus ist beispielgebend nicht nur für Frauen, sondern für jeden. In Jesu Reich ist das Dienen nicht Frauensache; es ist jedermanns Sache.

Wie sehen wir Jesus durch die Augen dieser großzügigen Frau? Wir sehen ihn als den, der uns an der Hand nimmt und uns aufhilft. Wir sehen ihn als den, dessen Berührung unseren Schmerz augenblicklich wegnehmen kann, und als den, der uns zuerst dient, bevor wir überhaupt die Kraft haben, ihm zu dienen. 1662 wurde Gott im *Book of Common Prayer*, das Gebetbuch der anglikanischen Kirche, als der beschrieben, »dem zu dienen vollkommene Freiheit bedeutet«, und das wird uns in der Schwiegermutter des Petrus vor Augen geführt. In unserem heutigen Denken verstehen wir Dienst und Freiheit häufig als Gegensätze. Doch bereits vor 2000 Jahren wusste Petrus' Schwiegermutter, was moderne Psychologen erst vor kurzer Zeit herausgefunden haben: Wir Menschen blühen auf, wenn wir mit dankbarem Herzen dienen, während endloses Selbstverwirklichen und das Ausleben von »Freiheit« uns schaden.[2]

In Matthäus, Markus und Lukas lesen wir, wie die Heilung von Petrus' Schwiegermutter und die des besessenen Mannes dafür sorgt, dass eine große Anzahl kranker und besessener Menschen zu Jesus gebracht wird. Matthäus interpretiert die Geschehnisse so:

> Am Abend brachte man viele Besessene zu ihm. Er vertrieb ihre bösen Geister durch sein Wort und heilte alle Kranken. So erfüllte sich, was durch den Propheten Jesaja vorausgesagt worden war: »Er nahm unsere Schwachheiten auf sich und lud sich unsere Krankheiten auf.« (Matthäus 8,16–17)

An dieser Stelle sehen wir, wie geistliche und körperliche Heilung Hand in Hand gehen. Und wie Matthäus, wie immer darauf bedacht, uns zu zeigen, dass sein Herr die hebräischen Schriften erfüllt, Jesu

2 Siehe dazu Rebecca McLaughlin, *Kreuzverhör: 12 harte Fragen an den christlichen Glauben* (München: cvmd, 2022), 26–35.

Handeln mit alttestamentlicher Prophetie verknüpft. Das Jesaja-Zitat lautet wörtlich:

> Doch unsere Krankheit, er hat sie getragen, und unsere Schmerzen, er lud sie auf sich. Wir dachten, er wäre von Gott gestraft, von ihm geschlagen und niedergebeugt. Doch man hat ihn durchbohrt wegen unserer Schuld, ihn wegen unserer Sünden gequält. Für unseren Frieden ertrug er den Schmerz, und durch seine Striemen sind wir geheilt. (Jesaja 53,4–5)

Das hebräische Wort, das hier mit »Krankheit« übersetzt wird, kann sich auf körperliche wie auf geistliche Leiden beziehen. Gleichermaßen kann das als »Schmerzen« wiedergegebene Wort auch seelische Nöte umfassen. Hier bei Jesaja sehen wir die rätselhafte Figur des Dieners Gottes (Jesaja 52,13), der die Krankheit, Sünde und Leiden von Gottes Volk auf sich nimmt. Als Jesus Petrus' Schwiegermutter und anschließend viele andere sowohl von körperlichen als auch von geistlichen Leiden befreit, nimmt er die Rolle des leidenden Dieners ein.

Genauso wie Jesus manchmal als großer Lehrer universeller Wahrheiten porträtiert wird, nicht aber als der große Gott des ganzen Universums, versuchen Menschen manchmal Jesu Werk darin, dass er uns von unseren Krankheiten heilt, von seinem Werk darin loszulösen, dass er die Strafe für unsere Sünde auf sich nimmt. Doch Matthäus lässt nicht zu, dass wir diese beiden voneinander trennen. Als Jesus am Kreuz starb, hat er die Strafe für all unsere Sünde auf sich genommen. Aber er hat auch die Tür zu der zukünftigen neuen Schöpfung Gottes aufgestoßen, wo es keinen Tod, keine Traurigkeit, keine Klage und keinen Schmerz mehr geben wird (Offenbarung 21,4). Im Hier und Jetzt leben wir noch mit Sünde und Krankheit. Doch wenn wir Nachfolger Jesu sind, können wir wie durch ein Schlüsselloch spähen und einen Blick auf eine völlig neue, andere Welt erhaschen, aus der Sünde und Leid durch Jesus und sein Auferstehungsleben für immer verbannt sind. Jesus ist gekommen nicht nur, um sein Leben *für* uns zu geben. Er ist auch gekommen, um sein Leben *mit* uns zu teilen. Als Jesus Petrus' Schwiegermutter heilt, bekommt sie einen klitzekleinen Vorgeschmack auf sein Auferstehungsleben, und sie setzt es sofort um, indem sie dient.

DIE WITWE AUS NAÏN

Als C. S. Lewis seine Frau an den Krebs verlor, schrieb er eine Reflexion über den Tod, die von seinem diffusen Schmerz geprägt war. Es handelt sich um ein kurzes Buch mit dem Titel *Über die Trauer*, und es ist eines der ergreifendsten Werke, die ich je gelesen habe. Der Abschnitt, der mich am meisten bewegt, ist dieser:

> Ich schaue auf zum Nachthimmel. Ist etwas sicherer als das, dass ich in all diesen weiten Zeiten und Räumen, wenn ich sie durchsuchen dürfte, nirgendwo ihr Gesicht, ihre Stimme, ihre Berührung finden würde? Sie ist gestorben. Sie ist tot. Ist das Wort so schwer zu lernen?[3]

Lewis hatte Gott um seine Frau Joy angefleht. Er hatte sie geheiratet, als er wusste, dass sie bald sterben würde. Es war sogar ihre Krebsdiagnose, die ihm überhaupt zu der Erkenntnis verhalf, dass er sie liebte. Sie waren beide Nachfolger Jesu, doch ihr Frieden über ihren Tod war so viel größer als seiner. Er hatte fürchterliche Angst davor, dass sie ihn verlassen würde. Er bestürmte Gott mit Gebeten, dass ihr Leiden in Heilung enden würde, nicht in Tod. Und zunächst erlebte Joy auch Besserung. Doch dann kam der Krebs zurück. Gottes Antwort auf Lewis' sehnlichstes Gebet lautete »Nein«.

Immer wieder in den Evangelien bitten Menschen Jesus um Heilung. Wie wir in Kapitel 2 gesehen haben, reagierte Jesus zunächst nicht auf die Bitte von Maria und Marta für ihren kranken Bruder Lazarus. In Kapitel 3 haben wir die syrophönizische Frau betrachtet, die um Heilung für ihre Tochter bittet: »Herr, hilf mir!« Auch hier ging Jesus nicht sofort auf die Bitte ein. In beiden Fällen wirkt Jesus gerade durch sein Warten an diesen Frauen, die ihn um Hilfe bitten. Zwischen ihrer Bitte und seiner Reaktion baut er eine Beziehung. Für einige von uns heißt das wie bei Lazarus, dass wir sterben, bevor der große Arzt kommt, um

3 C. S. Lewis, *A Grief Observed* (London, Faber and Faber, 1966, 15 (eigene Übersetzung).

unseren Körper zu heilen. Doch manchmal kommt Jesus auch zu uns, schon bevor wir ihn überhaupt darum gebeten haben.

Lukas erzählt eine Geschichte, in der Jesus in die Stadt Naïn in Galiläa reist. Eine große Menschenmenge folgt ihm. Als er auf das Stadttor zugeht, »wurde gerade ein Verstorbener herausgetragen, der einzige Sohn seiner Mutter, einer Witwe« (Lukas 7,12). Eine große Menge begleitete sie und trauerte mit ihr um ihren Sohn. Dann schreibt Lukas:

> Als der Herr die Witwe sah, wurde er von tiefem Mitgefühl ergriffen. »Weine nicht!«, sagte er zu ihr. Dann trat er an die Bahre und berührte sie. Die Träger blieben stehen. »Junger Mann, ich befehle dir, steh auf!«, sagte er zu dem Toten. Da setzte sich der Tote auf und fing an zu reden, und Jesus gab ihn seiner Mutter zurück. (Verse 13–15)

Das ist das erste Mal, dass Lukas als Erzähler die Bezeichnung »der Herr« für Jesus wählt. Was tut Jesus mit dieser seiner Autorität? Er hat Mitleid mit einer Witwe.

Im Alten Testament wird deutlich, dass Gottes Mitleid mit den Verletzlichen – vor allem mit Witwen, Waisen und Flüchtlingen – zutiefst in seiner Identität verwurzelt ist. Beispielsweise verkündete Mose dem Volk Gottes:

> […] [D]enn Jahwe, euer Gott, ist der Gott aller Götter und der Herr aller Herren. Er ist der große, mächtige und furchtbare Gott, der keinen bevorzugt und keine Bestechung annimmt, der den Waisen und Witwen zu ihrem Recht verhilft und auch den Fremden liebt, dass er ihn mit Nahrung und Kleidung versorgt. (5. Mose 10,17–18)

In gleicher Weise nannte auch David Gott einen »Vater der Waisen und Anwalt der Witwen« (Psalm 68,6). In Gottes Gesetz nahmen Anordnungen zur Versorgung und zum Schutz von Witwen und Waisen großen Raum ein. Und der Herr warnte eindringlich davor, sie zu misshandeln: »Keine Witwe oder Waise dürft ihr benachteiligen. Wenn du sie dennoch in irgendeiner Weise bedrückst und sie zu mir um Hilfe schreien, werde ich bestimmt auf sie hören. Dann wird mein Zorn auflodern und ich werde euch durch das Schwert umkommen lassen. Eure Frauen werden dann zu Witwen werden und eure Kinder zu Waisen« (2. Mose 22,21–23). Das Mitleid Jesu mit der hinterbliebenen Witwe, die dem Leichnam ihres Sohnes heraus aus der Stadt Naïn folgt, ist völlig im Einklang mit dem Wesen Gottes.

Diese Frau hat keinen Ehemann, und nun ist auch ihr einziger Sohn gestorben. Damit steht sie vermutlich ohne Einkommen da. Zusätzlich zu ihrer Trauer könnte sie nun in Armut geraten. Aber Jesus sagt ihr, dass sie nicht weinen soll, und erweckt dann ihren Sohn zum Leben. Genauso wie Johannes Lazarus den »Toten« nennt (Johannes 11,44), nennt auch Lukas den Sohn der Witwe hier einen »Toten«, um deutlich zu machen, dass kein Leben mehr in ihm war. Doch dann, auf Jesu Befehl hin, setzt er sich auf und fängt an zu reden (Lukas 7,15). Und noch einmal betont Lukas die Fürsorge Jesu für diese trauernde Witwe, wenn er schreibt: »Jesus gab ihn seiner Mutter zurück« (Vers 15).

Wie sehen wir Jesus durch die Augen dieser Witwe? Wir sehen ihn als den, der zu uns kommt, bevor wir ihn rufen sogar, und der Mitleid hat. Wir sehen ihn als den, der uns in unserer tiefsten Trauer begegnet und seine Macht zur Auferweckung der Toten unter Beweis stellt. Genauso wie er dieser Frau sagte, sie solle nicht weinen, wird Jesus eines Tages jede Träne von unseren Augen wischen, wenn wir nur auf ihn vertrauen (Offenbarung 21,4). Die letzten Worte in Lewis' *Über die Trauer* beschreiben seine Frau in dem Moment, als sie starb: »Sie lächelte. Aber nicht zu mir.«[4] Die Bibel verspricht uns nicht, dass Jesus unsere Liebsten immer heilen wird, wenn wir ihn darum bitten. Wir können viel eher damit rechnen, dass der Kummer der Trennung, vor der es Lewis graute, auch vor uns keinen Halt machen wird. Sie verspricht uns jedoch, dass Jesus in unserem Schmerz bei uns sein wird und dass er eines Tages die Toten mit einem Wort wieder zum Leben erwecken wird, genauso wie er es bei dem Sohn dieser gebrochenen Witwe getan hat.

4 Lewis, 64.

BLUTENDE FRAU UND STERBENDES MÄDCHEN

»Kennst du das Lied ›Touch the Hem of his Garment‹ (dt.: den Saum seines Gewandes berühren)?« Die Frage kam von einer jüdischen Freundin. Das Lied ist von dem Soulmusik-Pionier Sam Cooke, und sie erzählte mir, dass sie das Lied ihrer Tochter in deren ersten beiden Lebensjahren zur Schlafenszeit immer vorgespielt hatte. Der Song war mir bis dahin völlig unbekannt, doch als ich ihn hörte, verstand ich, warum er sie so berührte. Er beruht auf einer der herzergreifendsten Geschichten der Evangelien: die Geschichte einer blutenden Frau, die den Saum von Jesu Gewand berührte. Sie wird von Matthäus, Markus und Lukas erzählt. Wir wissen nicht, wie die Frau hieß, doch ihre Geschichte hat in der Welt auch 2000 Jahre später noch solche Spuren hinterlassen, dass meine jüdische Freundin dazu bewegt wurde, sie als Schlaflied zu nutzen. Wenn wir die Geschichte im Kontext lesen, wird sie noch ergreifender, da sie mit einem anderen Wunder verknüpft ist, bei dem ein junges Mädchen vom Tod auferweckt wird.

Im Markusbericht fällt ein Synagogenvorsteher namens Jaïrus vor Jesus auf die Knie und fleht ihn an: »Meine kleine Tochter liegt im Sterben. Komm und leg ihr die Hände auf, damit sie gesund wird und am Leben bleibt« (Markus 5,22–23). Jesus geht sofort mit Jaïrus mit, und eine große Menge folgt ihnen. Doch die Evangelisten konzentrieren sich auf eine einzige Frau in der Menschenmasse:

> Darunter war auch eine Frau, die seit zwölf Jahren an starken Blutungen litt. Sie war schon bei vielen Ärzten gewesen und dabei sehr geplagt worden. Ihr ganzes Vermögen hatte sie aufgewendet, und es hatte ihr nichts geholfen, im Gegenteil: Es war noch schlimmer geworden. Diese Frau hatte von Jesus gehört und drängte sich nun durch die Menge von hinten heran. Sie berührte sein Gewand, denn sie dachte: »Wenn ich nur an seine Kleidung komme, werde ich geheilt.« (Verse 25–28)

Die Evangelien erzählen nur selten innere Monologe nach. Und wenn doch, ist es meistens ein kleiner Einblick in die Gedanken der Pharisäer, die über Jesus empört sind, oder der Jünger, die ihn häufig falsch verstehen. Doch hier erhalten wir einen rührenden Blick auf Jesus durch die Augen dieser Frau, die zu sich sagt: »Wenn ich nur an seine Kleidung komme, werde ich geheilt« (Matthäus 9,21).

Wie sehen wir Jesus in diesem Augenblick durch die Augen dieser Frau? Wir sehen ihn als den, nach dem sie in ihrer Verzweiflung greift, als ihre letzte Hoffnung auf Heilung und ihr letzter Ausweg, da ihr Geld weg ist und ihre Ärzte gescheitert sind. Doch während wir ihren Glauben an Jesu Macht sehen, sehen wir gleichzeitig auch ihre Angst. Wie Männer mit Ausfluss von Körperflüssigkeiten galten auch menstruierende Frauen als unrein (siehe 3. Mose 15). Unreinheit war nicht sündhaft. Sie war zeitweilig unvermeidbar, sowohl für Männer als auch für Frauen. Doch sie verwehrte den Menschen den Zugang zum Tempel. Die chronische Krankheit dieser Frau hatte für sie zur Folge, dass es ihr in den letzten zwölf Jahren nicht möglich gewesen war, an den Gottesdiensten im Tempel teilzunehmen. Die Menschen wurden durch jeglichen Kontakt mit einer blutenden Frau ebenfalls rituell unrein. Anstatt Jesus also um Hilfe zu bitten, tritt sie von hinten an ihn heran und streckt ihre Hand plötzlich nach ihm aus. Sie hat zwölf Jahre mit der Scham gelebt, die ihre Krankheit für sie bedeutete, war wahrscheinlich unfruchtbar und konnte nicht am Gottesdienst im Tempel teilnehmen. Jetzt hoffte sie, im Pulk unterzugehen, während sie nach Jesus griff.

Und das Risiko, das die Frau in ihrer Verzweiflung eingeht, zahlt sich aus: »Sofort hörte die Blutung auf, und sie spürte, dass sie ihre Plage los war« (Markus 5,29). Doch im selben Moment, in dem sie spürt, dass das Blut aufgehört hat, aus ihr zu fließen, spürt Jesus, wie eine Kraft aus ihm fließt: »Im selben Augenblick spürte auch Jesus, dass eine Kraft von ihm ausgegangen war. Er drehte sich in der Menge um und fragte: ›Wer hat mein Gewand berührt?‹« (Vers 30). Jesu Jünger weisen ihn auf die Merkwürdigkeit seiner Frage hin: »Du siehst doch, wie die Menge dich drängt, und da fragst du, wer dich berührt hat?« (Vers 31). Doch Jesus schaut sich um, um zu erkennen, wer es war. Mit dieser Wendung hatte die Frau nicht gerechnet. »Zitternd vor Angst trat die Frau vor, die ja wusste, was mit ihr vorgegangen war«, schreibt Markus. »Sie warf sich vor ihm nieder und erzählte ihm alles« (Vers 33). Angesichts ihrer Krankheit befürchtet die Frau sicherlich, dafür zurechtgewiesen zu werden, dass sie Jesus berührt hat. Doch statt sie zu verurteilen, äußert

Jesus eine Bestätigung: »Meine Tochter, dein Glaube hat dich gerettet. Geh in Frieden. Du bist gesund« (Vers 34).

Die ersten jüdischen Leser der Evangelien hätten die Unreinheit der Frau als den eigentlichen Kern der Geschichte angesehen. Den meisten von uns heute mag dieser Aspekt irrelevant erscheinen. Doch die Art, wie Jesus sich dieser blutenden Frau annimmt, zeigt, dass er vor den körperlichen Gegebenheiten einer Frau nicht zurückschreckt. Selbst eine ganz normale Erfahrung der Menstruation kann zermürbend sein. Viele Frauen leiden während ihrer Periode sowohl körperlich als auch emotional. Andere sind durch Schmerzen eingeschränkt. Ich weiß nicht, ob du ein Mann oder eine Frau bist und ob dieser Abschnitt bei dir Unbehagen auslöst oder nicht. Vielleicht bist du eine Frau, der es jeden Monat vor ihrer Periode graut. Vielleicht hast du mit Unfruchtbarkeit zu kämpfen, und jede Regelblutung erinnert dich daran, dass in deinem Bauch kein Baby heranwächst. Vielleicht spürst du einen stechenden seelischen Schmerz, weil du eine Fehlgeburt erlitten hast, als eines Tages Blut den Tod deines geliebten Kleinen signalisiert hat. Oder vielleicht taumelst du schwermütig auf die Menopause zu oder siehst mit gemischten Gefühlen auf die nicht mehr vorhandene Periode zurück. Selbst wenn du kaum unter Menstruationsschmerzen gelitten hast, bezweifle ich, dass du es genossen hast, jeden Monat zu bluten. Für die meisten Frauen fühlt es sich an wie eine Nebenwirkung des Frauseins, mit der es sich verhält wie in einer Fernsehwerbung: Wir werden zwar kurz auf das Auftreten dieser Nebenwirkung hingewiesen, doch die Marketingexperten geben sich alle Mühe, die unschöne Wahrheit in Aufnahmen einer leichtfüßig und in Zeitlupe über ein Feld tänzelnden Frau untergehen zu lassen.

Doch Jesus schreckt nicht zurück. Stattdessen nimmt er die Frau, die zwölf Jahre lang ununterbrochen geblutet hat, als eine Tochter voller Glauben auf. Er schenkt ihr Frieden. Erstaunlicherweise ist diese Frau die einzige in allen Evangelien, die Jesus »Tochter« nennt (Matthäus 9,22; Markus 5,34; Lukas 8,48). Die Frau, die sich nicht wagte, direkt auf ihn zuzugehen, sondern im Geheimen seine Kleidung berührte, wird bis ins Innerste von Jesus erkannt. Sie ist seine Tochter. Als solche hat sie natürlich das Recht, ihn zu berühren.

Die Geschichte flüstert uns durch die Jahrhunderte hindurch zu, dass der Aspekt des Frauseins, den Frauen am meisten zu verstecken versuchen, für unseren Erlöser nicht abstoßend ist. Er hat mich als Frau mit einer Gebärmutter gemacht, die jeden Monat ihre Schleimhaut erneuert, es sei denn, sie richtet gerade ein Zuhause für einen neuen Menschen in seinem Bild ein. Jegliche Scham, die wir Frauen im Zusammenhang mit der körperlichen Realität der Weiblichkeit empfinden, muss vor Jesu Worten weichen. Der, der die Haare auf unserem Kopf gezählt hat, kennt auch jeden Tropfen Blut in unserem Körper. Anstatt diese Frau zu demütigen, bestätigt Jesus sie. Zwölf Jahre war ihr der Zutritt zum Tempel verwehrt geblieben, und jetzt wird sie von dem aufgenommen, der selbst der Tempel ist und in dem wir Gott begegnen (Johannes 2,18–22). Wenn wir mit unserer Not, Verzweiflung und Scham zu Jesus kommen, dürfen wir sicher sein, dass er auch uns zärtlich aufnehmen wird. Vielleicht heilt er uns nicht hier und jetzt. Das hat er auch nicht versprochen. Aber wenn wir mit unserer Not zu ihm kommen, wendet er sich uns gewiss zu und nimmt uns an, genauso wie er die Berührung der Frau angenommen und ihre Tat gerechtfertigt hat: »Meine Tochter, dein Glaube hat dich geheilt« (Markus 5,34).

Jesu Worte an diese Frau klingen nach einem Happy End. Doch plötzlich werden wir wieder mit der Geschichte von Jaïrus konfrontiert. Markus berichtet, dass, während Jesus noch spricht, Leute aus Jaïrus' Haus kommen und ihm sagen: »Deine Tochter ist tot. Du brauchst den Rabbi nicht weiter zu bemühen« (Vers 35). Das ist ein vernichtender Schlag, der die Kritik, die die blutende Frau vielleicht einstecken muss, noch weiter verstärkt: Sie hat Jesus auf einer dringenden Mission aufgehalten. Hätte sie nicht mit ihrer chronischen Krankheit warten können, bis Jesus das Leben des sterbenden Kindes gerettet hätte? Doch Jesus zeigt keinerlei Bedauern darüber, aufgehalten worden zu sein. Er sagt zu Jaïrus: »Fürchte dich nicht, glaube nur!« (Vers 36). Er löst sich aus der Menge, nimmt nur Petrus, Jakobus und Johannes mit und geht zum Haus von Jaïrus.

Als sie an dessen Haus ankommen, sind dort viele Menschen, die um das Mädchen trauern. Doch Jesus sagt: »Was soll der Lärm? Warum weint ihr? Das Kind ist nicht tot, es schläft nur« (Verse 38–39). Im Gegensatz zu Jaïrus und der blutenden Frau glauben diese Menschen nicht an Jesus. Sie lachen ihn aus. Also schickt Jesus sie nach draußen und geht mit den Eltern sowie Petrus, Jakobus und Johannes in den Raum, in dem der leblose Körper des Mädchens liegt. Die Szene, die Markus uns vor Augen führt, ist sehr intim. Jesus schließt die Menge aus, um dann selbst in die Trauer der Familie einzutreten. Wir schnappen einen Fetzen vom Aramäischen auf, der gemeinsamen Muttersprache, als Jesus das Mädchen an der Hand nimmt und ihr sagt: »Talita kum«, was bedeutet: »Mädchen, steh auf« (Verse 40–41).

Zu Beginn der Geschichte erwähnt Lukas, dass dieses Mädchen zwölf Jahre alt ist (Lukas 8,42). Markus spart sich dieses Detail bis zum Ende auf (Markus 5,42). Sie hatte so lange gelebt, wie die blutende Frau krank gewesen war. Das Mädchen stand am Anfang ihrer Pubertät. Das Leben der Frau war von einer gestörten Menstruation ruiniert. Nach dem Gesetz des Alten Testaments wäre Jesus, genauso wie er durch den Kontakt mit einer blutenden Frau unrein geworden wäre, auch durch das Berühren eines Leichnams unrein geworden. Aber er schreckt ebenso wenig vor unserer unvermeidbaren Unreinheit zurück, wie eine Mutter sich unmittelbar nach der Entbindung davon abhalten lassen würde, ihr blutverschmiertes Neugeborenes in den Armen zu halten. Nicht mehr lange und Jesus würde für diese Frau bluten und für dieses Mädchen sterben. Doch in diesem Moment macht er beide einfach nur heil. Markus berichtet: »Mit fassungslosem Erstaunen sahen alle, wie das Mädchen sich sofort erhob und anfing umherzugehen; es war nämlich zwölf Jahre alt. Jesus verbot ihnen nachdrücklich, anderen davon zu erzählen, und ordnete an, dem Kind etwas zu essen zu geben« (Markus 5,42–43).

Wie sehen wir Jesus durch die Augen dieser Zwölfjährigen? Wir sehen Jesus so, wie wir ihn jeden Tag sehen werden, wenn wir unser Vertrauen auf ihn setzen. Wenn Jesus uns aus dem Tod heraus- und ins ewige Leben hineinruft, werden wir ihn zum ersten Mal von Angesicht zu Angesicht sehen. Jesus fordert die Eltern des Mädchens auf, ihr etwas zu essen zu geben. Wenn er aber eines Tages unsere schon längst zersetzten Körper zum Leben erwecken wird, wird er der Herr eines Festmahls sein, das in alle Ewigkeit bestehen wird. Jesus erweckt das Mädchen nicht von den Toten, um eine Show abzuziehen. Er tut es, weil es ihm am Herzen liegt. Und eines Tages, wahrscheinlich, wenn unsere Körper schon verwest sind und unsere Namen ausgelöscht wurden, wird Jesus uns mit derselben Macht und Zärtlichkeit zurück ins Leben rufen, mit denen er der blutenden Frau und dem toten Mädchen begegnet ist.

TOCHTER ABRAHAMS

Ich erinnere mich noch daran, wie meinem Vater in meiner Kindheit manchmal die Tränen in die Augen stiegen, nur weil er mich ansah. Das habe ich damals nicht verstanden. Heute habe ich selbst zwei Töchter, und jetzt verstehe ich es. Meine Mädchen sind mir so wertvoll. Wenn man davon krank werden könnte, dass seine Mutter einem zu oft sagt, dass sie einen liebhat, dann wären sie am Ende. »Tochter« ist ein wunderschönes Wort. Wie gerade gesehen, bestätigte Jesus die blutende Frau, die sein Gewand berührte, als seine Tochter, während er auf dem Weg war, Jaïrus' Tochter zu heilen. In dem letzten Heilungswunder bei einer Frau im Lukasevangelium kommt ebenfalls ein Synagogenvorsteher vor, und Jesus erkennt eine Frau als Tochter an. Doch der Rest könnte nicht unterschiedlicher sein. Jaïrus kniete vor Jesus nieder und flehte ihn an, seine geliebte Tochter zu heilen. Der Synagogenvorsteher hier – der sich eigentlich um eine leidende Tochter Abrahams sorgen müsste – beschwert sich stattdessen, als Jesus sie heilt.

Es ist Sabbat und Jesus lehrt gerade in der Synagoge. Dort »befand sich eine Frau unter den Zuhörern, die seit achtzehn Jahren krank war«, zeichnet Lukas auf. »Ein Geist der Schwäche hatte sie verkrüppeln lassen. Sie war ganz verkrümmt und konnte sich nicht mehr aufrichten« (Lukas 13,11). Die Krankheit der Frau wird auf einen »Geist der Schwäche« zurückgeführt; es gibt jedoch keinen Hinweis darauf, dass sie besessen ist. Die Formulierung bedeutet eher, dass Satan für ihre Krankheit verantwortlich ist. Lukas berichtet: »Als Jesus sie sah, rief er sie zu sich: ›Frau‹, sagte er, ›du bist frei von deinem Leiden!‹ Dann legte er seine Hände auf sie. Da konnte sie sich wieder aufrichten, und sie lobte und rühmte Gott« (Verse 12–13).

Die blutende Frau war aus eigenem Antrieb zu Jesus gekommen. Doch bei der kranken Frau in dieser Geschichte ist es Jesus, der sie zu sich ruft. Vielleicht hatte sie gehört, dass Jesus in der Stadt war, und war mit der Hoffnung auf Heilung gekommen. Aber vielleicht handelte es sich einfach um ihre Heimatsynagoge, und sie war wie an jedem Sabbat dort, um Gott anzubeten. Wir kennen nicht ihre ganze Geschichte. Doch durch ihre Augen sehen wir Jesus als den, der uns mit seinen Worten und seinen Händen von unserem Leiden befreien kann. Von einem auf den anderen Moment ist die 18 Jahre andauernde Fessel des Schmerzes gebrochen. Während in den Evangelien viele zu Jesus kommen und sich verbeugen, steht diese Frau endlich aufrecht und lobt Gott. Doch Jesus hat noch mehr mit ihr vor.

Anstatt sich mit der Frau zu freuen, ist der Synagogenvorsteher wütend. Er wendet sich an die Anwesenden: »Es gibt sechs Tage, die zum Arbeiten da sind. Kommt an diesen Tagen, um euch heilen zu lassen, aber nicht am Sabbat« (Vers 14). Diese Reaktion, die die Raumtemperatur sicher gefühlt um einige Grad senkte, erinnert an die Reaktion der Pharisäer, als Jesus in Lukas 6 einen Mann mit einer verkümmerten Hand heilte. Auch diese Heilung fand an einem Sabbat in einer Synagoge statt, und die Pharisäer schauten nur deswegen zu, weil sie sehen wollten, ob Jesus am Sabbat heilen würde, damit sie einen Anklagegrund gegen ihn finden konnten. Als Jesus den Mann heilte, »wurden sie von sinnloser Wut gepackt und berieten miteinander, was sie gegen ihn unternehmen könnten« (Lukas 6,11). Wie schon die Pharisäer wendet der Synagogenvorsteher sich nicht direkt gegen Jesus. Stattdessen greift er die Frau an, weil sie am Sabbat gekommen ist, um geheilt zu werden – dabei ist es Jesus, der die Heilung initiiert hat.

Nachdem die kranke Frau das erste Mal seit 18 Jahren aufrecht stehen kann, steht Jesus nun für sie ein:

> Der Herr nun antwortete ihm und sprach: Heuchler! Bindet nicht jeder von euch am Sabbat seinen Ochsen oder Esel von der Krippe los und führt ihn hin und tränkt ihn? Diese aber, die eine Tochter Abrahams ist, die der Satan gebunden hat, siehe, achtzehn Jahre lang, sollte sie nicht von dieser Fessel gelöst werden am Tag des Sabbats? (Lukas 13,15–16)

Der Ausdruck »eine Tochter Abrahams« ist einzigartig in der Bibel. Jesus verwendet an späterer Stelle im Lukasevangelium eine ähnliche Formulierung, als er von dem bußfertigen Zolleinnehmer Zachäus sagt: »Er ist doch auch ein Sohn Abrahams« (Lukas 19,9). Doch die Beteuerung, dass diese Frau eine *Tochter* Abrahams ist, ist bemerkenswert. Diese Frau ist eine Erbin von Gottes Versprechen an Abraham – den Urvater der Juden –, und zwar genauso wie jeder jüdische Mann ein Erbe ist. Ihre aus Gotteslob bestehende Reaktion bildet einen starken Kontrast zu der Reaktion des Synagogenvorstehers und zeigt, dass sie eine wahre Erbin Abrahams und der Synagogenvorsteher kein Erbe ist. Lukas schließt, indem er die Zuhörer aus der Geschichte in zwei Lager teilt, nämlich die, die sich der Kritik des Synagogenvorstehers anschließen, und die, die in das Lob der Frau einstimmen: »Diese Antwort beschämte seine Widersacher. Alle anderen aber freuten sich über die wunderbaren Dinge, die durch Jesus geschahen« (Lukas 13,17). In Bezug auf Jesus gibt es keinen neutralen Boden. Wir können entweder seine Worte des Lebens annehmen oder uns gegen ihn auflehnen und beschämt werden.

Wir wissen nicht, ob sich diese »Tochter Abrahams« später den geheilten Frauen anschloss, die mit Jesus mitreisten. Wir wissen nicht, ob die Frau, die zwölf Jahre lang geblutet hatte und als Jesu Tochter aufgenommen wurde, anschließend mit ihm zog. Wir wissen nicht, ob Jaïrus' Tochter ihre Eltern flehentlich darum bat, dass sie als Familie mit Jesus mitreisen sollten, oder ob die Witwe von Naïn sich ihm anschloss. Vielleicht schon. Vielleicht wurden sie aber zu Jüngerinnen, die in ihrer Heimat blieben, wie Maria und Marta. Doch durch die Augen jeder dieser Frauen sehen wir Jesus als den, der den Kranken Heilung bringt und den Toten Leben, der die Ausgestoßenen aufnimmt und die Verschmähten zu Ehren bringt.

Durch die Augen dieser geheilten Frauen sehen wir Jesus als den, der uns ganz machen kann, wenn wir nur den Saum seines Gewandes berühren – des Gewandes, um das die Soldaten, die ihn kreuzigen würden, einige Zeit später das Los warfen (Lukas 23,34; Matthäus 27,35). Wir sehen ihn als den, der gekommen ist, um mit uns mitzutrauern und unsere Krankheit auf sich zu nehmen; als den, der für uns unter mehr Schmerzen sein Blut vergoss als die menstruierende Frau; als den, der für uns in einem weit umfassenderen Sinn starb als das zwölfjährige Mädchen; als den, dessen Rücken sich unter der Last eines grausamen Kreuzes krümmte, damit wir eines Tages aufrecht stehen können, wenn er uns aus unseren Gräbern ruft und uns als Söhne und Töchter Abrahams zu sich holt.

Meine sterbende Freundin ist bereit, ihrem Herrn zu begegnen, und betet für Mut für die vor ihr liegenden Leiden. Ihr fehlt nicht der Glaube, dass Jesus sie heilen wird. Dessen ist sie sich ganz sicher, denn eines Tages wird er sie und ihren Mann aus ihren Gräbern in das Auferstehungsleben mit ihm rufen – und sie werden heil sein.

DISKUSSIONSFRAGEN

Zum Einstieg: Wenn du erkältet bist, auf welches Hausmittel greifst du zur Linderung am ehesten zurück?

1. Warum brauchte jede der Frauen in diesem Kapitel Heilung? Wie haben die Menschen auf diese Heilungen reagiert?
2. Wie spiegelt Jesu Mitleid mit der Witwe von Naïn das Herz des Herrn im Alten Testament wider?
3. Inwiefern weisen Jesu Heilungen auf eine größere Realität in der Zukunft hin?
4. Inwiefern veranschaulichen die Heilungsgeschichten in diesem Kapitel Jesu Erfüllung von Jesaja 53,4–5?
5. Der tote Sohn der Witwe, die Frau mit dem Blutfluss und die tote Tochter des Jaïrus waren alle rituell unrein. Aber Jesus wird dadurch, dass er sie berührt, doch selber nicht unrein, sondern macht sie vielmehr durch seine Berührung rein. In welcher Verbindung steht diese Dynamik dazu, wie Jesus uns von unserer Sünde rettet?
6. Wann hast du oder hat jemand, den du kennst, schon mal zum Herrn um Heilung gebetet? Ist die erhoffte Heilung eingetroffen?
7. In welchem Bereich sehnst du dich aktuell nach Heilung? Wie können diese Heilungsgeschichten dir Hoffnung machen, unabhängig davon, ob du die Heilung zu dem erhofften Zeitpunkt oder auf die gewünschte Art und Weise empfängst oder nicht?

8. Was spricht dich bei Jesus am stärksten an, wenn du ihn durch die Augen dieser Frauen siehst?

Genauer hinsehen: Lies Markus 5,25–34.

1. Was wissen wir anhand der Angaben des Bibeltextes über die Frau mit dem Blutfluss? Welche Folgerungen können wir über ihren sozialen Status und ihren seelischen Zustand ziehen?
2. Warum könnte die Frau mit dem Blutfluss versucht haben, sich in der Menge zu verstecken, um Jesus zu berühren? Sieh dir dazu 3. Mose 15,19–31 an.
3. Wann hörte der Blutfluss der Frau auf (Vers 29)? Wie reagierte Jesus? Warum, meinst du, hat Jesus es ihr nicht erlaubt, sich still und leise wieder zu entfernen?

KAPITEL 5

VERGEBUNG

Gestern Abend habe ich mir »Adele One Night Only« angeschaut, ein Konzert der britischen Sängerin im Griffith Observatory in Los Angeles. Viele Stars und Sternchen sitzen unter dem Sternenhimmel des Planetariums. Die Aufnahmen der Show werden immer wieder mit Ausschnitten eines sehr persönlichen Interviews mit Oprah ergänzt. Adele eröffnete ihren Auftritt mit dem Song »Hello«. Wie Oprah bemerkt, wurde das Musikvideo zu dem Song drei Milliarden Mal angesehen. Es geht darin um den Kummer über eine in die Brüche gegangene Beziehung. Die Frau hat schon Tausende Male angerufen im Versuch zu sagen, dass es ihr leidtut, dass sie das Herz ihres Liebsten gebrochen hat. Er hat die Beziehung hinter sich gelassen, aber sie steckt in ihrem Kummer fest. Das Lied handelt von dem Wunsch nach Vergebung und einer verlorenen Liebe, von der Sehnsucht danach, dass eine verschlossene Tür wieder geöffnet wird. Vielleicht haben wir alle ähnliche Gefühle mal gekannt. Vielleicht haben wir uns alle nach Vergebung gesehnt und nach einer Liebe, die einst fallen gelassen wurde.

In diesem Kapitel werden wir uns zwei Geschichten ansehen, in denen es um Vergebung für Frauen geht, die durchaus denken könnten, sie wären zu weit gegangen, um zurückgeholt und wieder aufgenommen zu werden. Wir werden sehen, wie Jesus Frauen behandelt, die als moralischer Abschaum geschmäht wurden, und wie er an ihrem Beispiel das moralische Versagen der Männer entlarvt, die sie verurteilen. Wir werden sehen, wie Jesus Prostituierte in das Reich Gottes einlädt, während die selbst ernannten Wächter mit Entsetzen zusehen. Wir werden einen Blick auf die radikale Vergebung erhaschen, die Jesus selbst denen anbietet, die in seine Gegenwart gezerrt werden, und sehen, wie die Tür zu einer ewigen Liebesbeziehung zu Jesus nun weit offen steht – wenn wir nur zu ihm kommen.

PROSTITUIERTE IM REICH

Letzten Sommer fuhr ich mit meinen Kindern an den Strand. Als es an einer Stelle aufgrund des dichten Verkehrs nicht weiterging, fiel mir eine Frau auf, die vor uns von Auto zu Auto ging. Sie war offensichtlich arm, doch sie bettelte nicht, wie es andere Obdachlose häufig an Ampeln an den Straßen tun, die wir regelmäßig befahren. Ich brauchte einen Moment, bis ich begriff, was das seltsame, aufgesetzt fröhliche Tänzeln zwischen den Autos, das sie darbot, signalisieren sollte. Ich gehörte zwar nicht zu ihrer Zielgruppe, aber ihr galt mein tiefes Mitleid. Ich fragte mich, wie ihr Leben sie an diesen Punkt geführt hatte, und betete, dass Gott sie mit einer Liebe erreichen würde, die sie noch nie zuvor gekannt hatte. Sie hoffte ganz klar, dass ein Mann sie mitnehmen und für ihren Körper bezahlen würde. Ich hingegen hoffte, dass sie von dem Mann aufgenommen werden würde, der gekommen ist, um mit seinem Leben für das Leben von Frauen wie ihr zu zahlen. Denn Jesus hat Prostituierte angenommen. Nicht so wie andere Männer seiner – und unserer – Zeit, sondern wie ein liebender Bruder, der in den Slums nach seiner Schwester sucht, um sie nach Hause zu holen.

Man sagt, man weiß, dass ein Ort sein Zuhause ist, wenn man das Recht hat, dort die Möbel umzustellen. Als Jesus zwölf Jahre alt war, sagte er, dass der Tempel das Haus seines Vaters war (Lukas 2,49). Als Jesus den Tempel als Erwachsener betrat, stellte er die Möbel auf dramatische Weise neu um. Laut Matthäus' Bericht fing er an, »die Händler und die Leute, die bei ihnen kauften, hinauszujagen. Die Tische der Geldwechsler und die Stände der Taubenverkäufer stieß er um« (Matthäus 21,12). Wegen dieses Umstellens der Möbel gerieten die Priester und Schriftgelehrten in Zorn. Sie fragten Jesus: »Mit welchem Recht tust du das alles? Wer hat dir die Vollmacht dazu gegeben?« (Vers 23). Wie gewöhnlich gibt ihnen Jesus keine direkte Antwort. Zuerst fragt er sie, was sie von Johannes dem Täufer halten, weil er weiß, dass sie dadurch in eine Zwickmühle geraten werden, da dieser bei den Menschen so beliebt ist. Dann erzählt er eine Geschichte, um ihnen zu helfen, ihre Situation zu erkennen:

> Doch was haltet ihr von folgender Geschichte? Ein Mann hatte zwei Söhne und sagte zu dem älteren: »Mein Sohn, geh heute zum Arbeiten in den Weinberg!« »Ich will aber nicht!«, erwiderte der. Aber später bereute er seine Antwort und ging doch. Dem zweiten Sohn gab der Vater denselben Auftrag. »Ja, Vater!«, antwortete dieser, ging aber nicht. Wer von den beiden hat nun dem Vater gehorcht? (Verse 28–31)

Die Hohepriester und die Ältesten antworten: »Der Erste.« Und Jesus sagt zu ihnen: »Ich versichere euch, dass die Zöllner und die Huren eher ins Reich Gottes kommen als ihr. Denn Johannes hat euch den Weg der Gerechtigkeit gezeigt, aber ihr habt ihm nicht geglaubt. Die Zöllner und die Huren haben ihm geglaubt. Ihr habt es gesehen und wart nicht einmal dann bereit, eure Haltung zu ändern und ihm Glauben zu schenken« (Verse 31–32).

Jesu Worte sind skandalös. Die Zöllner (Zolleinnehmer) und Prostituierten waren aus jüdischer Perspektive der Inbegriff von Sündern. Sich selbst sahen die Hohepriester und Ältesten hingegen in Sachen Religion ganz weit oben. Doch Jesus sagt ihnen freiheraus, dass sich den Römern anbiedernde Schwindler und Prostituierte – also die Menschen, auf die die religiöse Elite herabsah – vor ihnen in Gottes Reich eintreten. Warum? Weil sich die Prostituierten und Zolleinnehmer ihre Sünde eingestehen. Jesu Aussage scheint sogar zu bedeuten, dass die Hohepriester und die Ältesten deren Beispiel folgen sollten.

Jesu Botschaft ist auch heute noch dieselbe. Es kann gut sein, dass die Frau, die zwischen den wartenden Autos tänzelte, Buße tut, eine respektierte vierfache Mutter, die sich in sämtlichen Schulausschüssen einbringt und mit einem Ältesten in der Gemeinde verheiratet ist, hingegen nicht. Ein Mann, der für seine Verbrechen hinter Gittern sitzt, könnte Buße tun und in Jesu Reich eintreten, während ein angesehener Polizeipräsident draußen bleibt. Die Frage, die sich Menschen stellen müssen, die in das Reich eintreten wollen, lautet nicht »Bist du ein Sünder?«, sondern »Hast du Buße getan?«. Jesus bietet den Prostituierten und Zolleinnehmern, die zu ihm kommen, vollumfängliche Vergebung – umsonst. Anscheinend scharten sie sich sogar um ihn, während viele der religiösesten Juden sich weigerten, zu ihm zu kommen.

Jesu Worte über Prostituierte sind so radikal, dass sie für uns schwer zu verstehen sind. Die Juden um ihn herum sahen Prostituierte als Sünderinnen an, die man unbedingt meiden sollte – und mit Sicherheit nicht als Menschen, die geradewegs ins Himmelreich laufen könnten. Doch in der weiter gefassten griechisch-römischen Welt war Jesu Aussage, wenn überhaupt, noch revolutionärer, weil er Prostituierte als Menschen anerkannte, die einen eigenen inhärenten Wert besitzen.

In Rom »zögerten Männer ebenso wenig, Sklaven und Prostituierte zur Stillung ihrer sexuellen Bedürfnisse zu gebrauchen, wie sie den Straßenrand als Toilette nutzten.«[1] Sex mit Prostituierten wurde nicht als unmoralisch angesehen, sondern als legitimes und notwendiges Ventil für männliche Lust. Der Historiker Kyle Harper erklärt: »Die Sexindustrie war ein wesentlicher Bestandteil der moralischen Ökonomie der antiken Welt.«[2] Prostituierte jedoch sah man als praktisch wertlos an. Die durchschnittlichen Kosten für Geschlechtsverkehr mit einer Prostituierten entsprachen ungefähr dem Preis für einen Laib Brot.[3] Mit Harpers Worten: »Die brutale Entblößung verletzbarer Frauen beruhte auf einer Gleichgültigkeit seitens der Gesellschaft, die so tief verankert war, dass sie unsichtbar an den Grundfesten der antiken sexuellen Weltordnung lag.«[4] Außer um die Dienste, die sie anbieten konnten, scherte sich niemand um Prostituierte.

Jesu Lehre leitete jedoch zwei Paradigmenwechsel ein. Erstens liebte er Frauen und schätzte sie wert – Prostituierte eingeschlossen. Zweitens hielt er, entgegen den Normen des Reiches zu der Zeit, an Treue in der Ehe als dem einzigen Rahmen für Sex fest. Damit setzte eine sexuelle Revolution ein, die umwerfender war als die der 1960er, allerdings in genau die entgegengesetzte Richtung.

1 Tom Holland, *Dominion: How the Christian Revolution Remade the World* (New York: Basic Books, 2019), 99 (eigene Übersetzung).

2 Kyle Harper, *From Shame to Sin: The Christian Transformation of Sexual Morality in Late Antiquity* (Cambridge, MA: Harvard University Press), 3 (eigene Übersetzung).

3 Siehe Harper, *From Shame to Sin*, 49 (eigene Übersetzung).

4 Harper, *From Shame to Sin*, 15 (eigene Übersetzung).

Die moderne sexuelle Revolution bot Frauen das Recht auf unverbindlichen Sex – ein Recht, das Männer jahrhundertelang vielfach für sich in Anspruch nahmen. Doch die sexuelle Revolution, die durch die Verbreitung des Christentums im Römischen Reich angestoßen wurde, verwies die sexuelle Freiheit von Männern in ihre Schranken und rief Männer zu der Art von Treue in der Ehe auf, die bis dahin nur von Ehefrauen erwartet worden war. Das bedeutete, dass Frauen nicht mehr als entbehrliche Objekte männlicher Lust angesehen werden konnten. Vielmehr gehörte Sex allein in den Rahmen der Ehe – der dauerhaften, gottgegebenen Ein-Fleisch-Gemeinschaft zwischen einem Mann und einer Frau (Matthäus 19,4–6) – und christliche Ehemänner sollten ihre Frauen mit derselben aufopfernden Liebe lieben, die Christus für seine Gemeinde hat (Epheser 5,25). Ein solcher Wandel war ganz offensichtlich eine gute Nachricht für Frauen, die zuvor zu Sex genötigt worden wären. Doch wie bereits in der Einleitung festgestellt, liegen auch immer mehr Belege dafür vor, dass unverbindlicher Sex dem Glücklichsein und der Gesundheit von Frauen messbar schadet, selbst wenn diese sich aus freien Stücken dazu entschieden haben. Jesu Sexualethik dagegen führt dazu, dass Menschen wirklich aufblühen. Aber auch wenn Jesus jede Art von Sex außerhalb der Ehe als Sünde bezeichnete (Markus 7,21), nahm er selbst die berüchtigtsten sexuellen Sünder und Sünderinnen auf, wenn sie ihr Vertrauen auf ihn setzten.

Wie sehen wir Jesus durch die Augen solcher bußfertigen Prostituierten? Wir sehen ihn als den einzigen Mann, der sie nicht dazu in seiner Nähe haben will, um etwas von ihnen zu bekommen, sondern um ihnen etwas zu geben. Wir sehen ihn als den, der ihre Biografie nicht gegen sie verwendet, sondern der jedes Detail ihrer Vergangenheit kennt und sie in seine überwältigende Zukunft mit hineinnimmt. Wir sehen ihn als einen Magnet für solche, die das Gefühl haben, sie seien menschliches Altmetall auf dem Schrottplatz des Lebens, und der die Kaputten und Misshandelten aufnimmt und in sein Reich der Liebe zieht.

SÜNDERIN

Einen noch tieferen Einblick in Jesu Haltung gegenüber Frauen, die als Sünderinnen bekannt waren, erhalten wir, wenn wir uns eine prägnante Geschichte im Lukasevangelium ansehen. Kurz bevor Lukas von Jesu Begegnung mit einer berüchtigten Sünderin erzählt, gibt er wieder, was Jesus über seinen eigenen schlechten Ruf sagt. Jesus weist darauf hin, dass man es den Menschen manchmal nicht recht machen kann. Johannes der Täufer, »der fastete und keinen Wein trank«, kam, und man warf ihm vor, er sei von einem Dämon besessen (Lukas 7,33). Nun kommt Jesus, »der ganz normal isst und trinkt«, und die Leute sagen: »Seht, was für ein Schlemmer und Säufer, dieser Freund von Zöllnern und Sündern!« (Vers 34). Durch das, was Jesus als Nächstes tut, verschlechtert sich sein Ruf noch weiter.

Er ist von einem der Pharisäer zum Essen in seinem Haus eingeladen. Das überrascht, wenn man bedenkt, wie häufig sich die Pharisäer gegen Jesus stellen. Vielleicht will dieser Pharisäer Jesus die Möglichkeit geben, seinen Ruf wiederherzustellen. Doch dann passiert etwas äußerst Peinliches:

> In dieser Stadt lebte auch eine Frau, die für ihren unmoralischen Lebenswandel bekannt war. Als sie erfahren hatte, dass Jesus im Haus des Pharisäers zu Gast war, nahm sie ein Alabastergefäß voll Salböl und ging dorthin. Sie trat an das Fußende des Liegepolsters, auf dem Jesus sich ausgestreckt hatte, kniete sich hin und fing so sehr zu weinen an, dass ihre Tränen seine Füße benetzten. Sie trocknete sie dann mit ihren Haaren ab, küsste sie immer wieder und salbte sie mit dem Öl. (Lukas 7,37–38)

Bei besonderen Anlässen war es üblich, dass die Gäste zu Tisch lagen und die Tür geöffnet blieb. So konnten sich Menschen, die nicht eingeladen waren, entlang der Wände hinsetzen, den Gesprächen zuhören und mit etwas Glück ein paar Essensreste ergattern. Das Eintreten eines nicht eingeladenen Gastes ist also an sich nichts Außergewöhnliches. Die Identität und das Handeln der Frau hingegen schon. Wir kennen nicht alle Details ihrer Sünden. Vielleicht war sie eine Prostituierte. Vielleicht war sie aber auch anderweitig »für ihren unmoralischen Lebenswandel bekannt« und galt also als Sünderin. Jedenfalls erkennen wir an Lukas' Beschreibung und der Reaktion der Pharisäer, dass sie die

Art von Frau war, die ein jüdischer Rabbi hätte meiden sollen. Doch da steht sie nun und zeigt Jesus auf demütigste Art und Weise ihre verschwenderisch ausgedrückte Liebe – und Jesus lässt es einfach zu.

Das Handeln dieser Frau erinnert an das von Maria von Betanien, das wir uns bereits in Kapitel 2 betrachtet haben. Beide Frauen salben Jesu Körper mit Salböl aus einem Alabasterfläschchen, während er zu Tisch liegt. Beide trocknen seine Füße mit ihren Haaren ab. Beide Ereignisse geschehen in dem Haus eines Simon; hier ist es Simon der Pharisäer, zuvor war es Simon der Aussätzige. Manche Ausleger meinen, Lukas berichte von demselben Ereignis wie Matthäus, Markus und Johannes. Zur Zeit Jesu aber war Simon in dieser Region der häufigste Name bei jüdischen Männern, und die Umstände rund um die beiden Geschichten unterscheiden sich erheblich.[5] Anders als Maria von Betanien wird die Frau in dieser Geschichte als eine berüchtigte Sünderin dargestellt. Anders als Maria wird sie nicht dafür kritisiert, Geld zu verschwenden; sie wird persönlich für schädlich gehalten. Die Ähnlichkeiten der Berichte rühren nicht daher, dass Lukas dieselbe Geschichte erzählt wie Matthäus, Markus und Johannes, sondern daher, dass beide Frauen wissen, dass Jesus ihre verschwenderischste Liebe verdient. Und genauso wie Maria verkörpert, wie der Jünger Judas Iskariot hätte sein sollen, so zeigt diese anonyme, sündenbeladene Frau aus der Stadt die Liebe, die Simon der Pharisäer an den Tag hätte legen sollen.

Lukas gibt Simons Reaktion wieder: »Als der Pharisäer, der Jesus eingeladen hatte, das sah, sagte er sich: ›Wenn der wirklich ein Prophet wäre, würde er doch merken, was für eine Frau das ist, die ihn da berührt. Er müsste doch wissen, dass das eine Sünderin ist‹« (Vers 39). Aus Simons Sicht musste Jesus doch wissen, dass jede Berührung mit dieser Sünderin ihn moralisch verunreinigen würde, ihm anhaften würde wie Schimmel. In diesem Moment ist Simon der Pharisäer das Gegenteil der samaritanischen Frau, die wir in Kapitel 3 kennengelernt haben. Sie erkannte Jesus als einen Propheten, als sie bemerkte, dass er alles über ihre sexuelle Vergangenheit wusste. Hier denkt Simon, Jesus könne *kein* Prophet sein, weil er offensichtlich *nicht* erkennt, wer diese

5 Mehr zur Beliebtheit des Namens Simon/Simeon s. Bauckham, *Jesus and the Eyewitnesses*, 85.

Sünderin ist. Doch Jesus weiß genau, wer sie ist. Und er weiß auch, wer Simon ist.

Wir wissen nicht, ob Simon seine Kritik vor sich hin flüsterte oder ob er sie nur dachte, doch Jesus hörte sie so oder so. »Simon«, entgegnet er, »ich habe dir etwas zu sagen.« Der Pharisäer antwortet respektvoll (zumindest nach außen hin): »Sprich, Rabbi« (Vers 40). Daraufhin erzählt Jesus eine Geschichte, ähnlich der, die er den Hohepriestern und Ältesten erzählte, als er ihnen beibrachte, dass Prostituierte vor ihnen in das Reich Gottes einziehen werden:

> Zwei Männer hatten Schulden bei einem Geldverleiher. Der eine schuldete ihm fünfhundert Denare, der andere fünfzig. Doch keiner von ihnen konnte ihm das Geld zurückzahlen. Da erließ er es beiden. Was meinst du, wer von beiden wird wohl dankbarer sein? (Lukas 7,41–42)

500 Denare entsprachen in etwa 20 Monatslöhnen und waren somit enorme Schulden. 50 Denare waren etwa zwei Monatslöhne. Simon antwortet: »Ich nehme an, der, dem die größere Schuld erlassen wurde.« Jesus stimmt zu: »Richtig!« Zu der Frau gewandt fragt Jesus Simon: »Siehst du diese Frau?« (Verse 43–44). Natürlich sehen sowohl Jesus als auch Simon die Frau. Doch sie sehen sie nicht gleich. Simon sieht sie als Sünderin an, die als solche Jesu Füße nicht berühren darf. Für ihn ist sie anstößig, moralisch verdorben und verachtungswürdig. Simon sieht sie als Lackmustest: Jesus kann kein Prophet sein, wenn er eine Berührung durch diese Frau zulässt. Doch Jesus sieht sie als diejenige, die das tut, was Simon hätte tun sollen. Schließlich zieht er sogar einen Vergleich zwischen dem moralisch angesehenen Pharisäer und der moralisch kompromittierten Frau aus der Stadt, indem er Punkt für Punkt verschiedene Aspekte anspricht:

> Ich bin in dein Haus gekommen, und du hast mir nicht einmal Wasser angeboten, dass ich den Staub von meinen Füßen waschen konnte. Doch sie hat meine Füße mit ihren Tränen gewaschen und mit ihren Haaren getrocknet. Du hast mir keinen Begrüßungskuss gegeben, aber sie hat gar nicht

> aufgehört, mir die Füße zu küssen, seit ich hier bin. Du hast mir den Kopf nicht einmal mit gewöhnlichem Öl gesalbt, aber sie hat sogar meine Füße mit Salböl bestrichen. Ich kann dir sagen, woher das kommt: Ihre vielen Sünden sind ihr schon vergeben worden, darum hat sie mir viel Liebe erwiesen. Wem wenig vergeben wird, der zeigt auch wenig Liebe. (Verse 44–47)

Simon ist der Ansicht, Jesus müsse sich dafür schämen, von dieser Frau berührt zu werden; er müsse von ihr Abstand nehmen wie jemand, der saure Milch ausspuckt. Doch Jesus denkt, dass Simon derjenige ist, der sich schämen sollte. Diese Sünderin tut all die Dinge für Jesus, die Simon *nicht* getan hat. Warum? Weil sie ihn liebt.

Wie sehen wir Jesus in diesem Moment durch die Augen dieser Frau? Wir sehen ihn als die Quelle ihrer Vergebung und den Gegenstand ihrer Liebe. Wir sehen ihn als den, für den es sich lohnt, sich selbst vor einer Menschenansammlung verachten zu lassen. Während sie teures Salböl über seine Füße gießt und sie mit ihren Haaren abtrocknet, sehen wir ihn als den, der es wert ist, dass man all sein Geld und all seine Würde für ihn aufopfert. Jesus steht so weit über ihr, dass in seiner Gegenwart sie sich nicht weit genug erniedrigen kann. Doch durch ihre Augen sehen wir Jesus auch als den, der sich neben Sünder wie sie – und wie dich und mich – stellt. Wie wir bisher durch die Augen vieler Frauen in diesem Buch gesehen haben, ist Jesus derjenige, der verachtete Frauen vor dem Tadel mächtiger Männer verteidigt. Und selbst als diese sündige Frau aus der Stadt sich herunterbeugt, sehen wir, wie Jesus sie als strahlendes, tränenüberströmtes Vorbild der Liebe erhebt, um dem selbstgerechten Pharisäer eine Lektion zu erteilen. Aber Jesus ist noch nicht fertig.

Nachdem er Simon zurechtgewiesen hat, wendet sich Jesus wieder der Frau zu und sagt: »Ja, deine Sünden sind dir vergeben« (Vers 48). Diese Aussage sorgt für noch mehr Aufruhr: »Die anderen Gäste fragen sich: ›Für wen hält der sich eigentlich, dass er auch Sünden vergibt?‹« (Vers 49). Nur Gott hat dieses Recht. Und doch sagt Jesus der Frau, dass ihre Sünden weggewaschen sind – so sicher wie ihre Tränen seine Füße gewaschen haben. Jesus ist der Geldverleiher, bei dem sowohl der Pharisäer als auch die verrufene Frau Schulden hatten. Ihre verschwenderische Liebe ist die Folge von seiner verschwenderischen Vergebung. Simon der Pharisäer denkt vielleicht, er habe weniger Schulden, die er Gott zurückzahlen muss, als diese Frau. Jesus geht darauf nicht ein. Stattdessen zeigt er ihm durch diese Frau, wie ein Mensch aussieht, dem vergeben wurde. Dann sagt Jesus zu ihr: »Dein Glaube hat dich gerettet. Geh in Frieden!« (Vers 50).

Wir wissen nicht, ob diese Frau, die Vergebung durch Jesus empfangen hatte, sich der Schar der mitreisenden Jünger Jesu anschloss oder nicht. Doch unmittelbar nachdem Lukas diese Geschichte erzählt, erwähnt er die Frauen – wie Maria aus Magdala, Johanna und Susanna –, die genau das gemacht haben (Lukas 8,1–3). Diese Frauen waren bereit, alles für Jesus zu verlassen. Sie waren geheilt worden, und ihnen war vergeben worden. Und sie folgten ihm überallhin. Jesus nimmt jeden an. Er nahm Maria aus Magdala an, aus der er sieben Dämonen ausgetrieben hatte (Vers 2). Er nahm die sündige Frau aus der Stadt an, deren Berührung als moralisch verunreinigend angesehen wurde. Er hat mich angenommen, und er wird auch dich annehmen. Doch alle, die meinen, sie bräuchten nur wenig Vergebung von Gott, werden vom Reich Gottes ausgeschlossen – beiseitegeschoben von den Prostituierten, Zolleinnehmern und Sündern, die ihnen weit voraus sind. Und warum das? Weil sie im Gegensatz zu der Frau aus der Stadt nicht bereit sind, sich Jesus zu Füßen zu werfen.

DARF DIESE GESCHICHTE IN DER BIBEL STEHEN?

Johannes beendet sein Evangelium mit den Worten: »Es gibt aber noch vieles andere, was Jesus getan hat. Wenn das alles einzeln aufgeschrieben würde – ich denke, die ganze Welt könnte die Bücher nicht fassen, die dann geschrieben werden müssten« (Johannes 21,25). Im Rest dieses Kapitels werden wir uns einen Abschnitt im Johannesevangelium ansehen, der wahrscheinlich nicht in Johannes' Originaltext stand, der aber genau zu dem passt, was wir in den übrigen Teilen des Johannesevangeliums, aber auch in den anderen Evangelien, über Jesus und seinen Umgang mit Frauen lesen. Bevor wir uns die Geschichte selbst ansehen, werden wir uns kurz mit dem Gedanken befassen, was wir von einem solchen Text halten sollen, der vielleicht oder vielleicht nicht Teil des Originals war.

Wenn du eine Bibel nimmst und Johannes 8 aufschlägst, wirst du dort vermutlich einen Vermerk finden, in dem es sinngemäß heißt: »In den frühesten Handschriften ist der Abschnitt 7,53–8,11 nicht enthalten.« Wenn du glaubst wie ich, dass die Bibel Gottes Wort ist, befremdet dich ein Hinweis wie dieser möglicherweise. Wenn du den Evangelien als verlässliche Berichte über Jesus aber skeptisch gegenüberstehst, könnte es sein, dass du einen solchen Vermerk vielmehr als Beweis dafür ansiehst, dass die Evangelien nicht als Gottes Wort an uns über seinen Sohn angesehen werden sollten. Wie können wir großspurig behaupten, dass die Bibel die Offenbarung eines vollkommenen und allmächtigen Gottes ist, wenn wir nicht einmal sicher sein können, dass einige Abschnitte überhaupt im Original zu finden waren? Die ersten tatsächlichen Manuskripte, also die Urschriften, die Matthäus, Markus, Lukas und Johannes selbst geschrieben haben, liegen uns nicht vor. Wir haben bestenfalls Abschriften der Originale. In vielen Fällen sind die frühesten uns vorliegenden Handschriften sogar Abschriften von Abschriften.[6] Woher wissen wir also, dass bei der Erstellung unseres Johannesevangeliums nichts verfälscht wurde – hier etwas hinzugefügt, dort etwas weggenommen oder so abgeändert, wie es den Absichten der Person, die die Abschrift anfertigte, am besten passte?

Letzte Woche habe ich meiner Tochter Miranda eine Prüfung über Shakespeare vorgelegt. Ich habe ihr und ihrer Schulfreundin jeden Dienstag darüber Unterricht gegeben. Als Teil dieses Unterrichts ließ ich die beiden vier Sonette und einen Monolog auswendig lernen. Als ich ihre Tests bewerten wollte, bemerkte ich einen kleinen Fehler in einem der Sonette in Mirandas Niederschriften. Dann fiel mir derselbe Fehler in denen ihrer Freundin auf. Ich schaute noch einmal nach, um mich zu vergewissern, dass ich mir den Abschnitt nicht selbst falsch eingeprägt hatte. Doch es war tatsächlich ihr gemeinsamer Fehler. Wie es sich herausstellte, hatte Miranda ihrer Freundin in der Schule beim Lernen geholfen, wodurch Mirandas kleiner Fehler weitergegeben wur-

6 Für eine sehr hilfreiche, zugängliche Abhandlung darüber siehe William D. Mounce, *Why I Trust the Bible: Answers to Real Questions and Doubts People Have About the Bible* (Grand Rapids, MI: Zondervan, 2021), 131–132.

de. Wenn ich dieselben Reden den Kindern meiner besten Freundin in London via Skype beigebracht hätte, hätten auch sie vielleicht Fehler gemacht. Wenn wir also die Tests aus London mit denen von Miranda und ihrer Freundin hier in Cambridge, Massachusetts, vergleichen würden, könnten wir uns die betreffenden Abschnitte ansehen. Hätte ich außerdem noch die Kinder meiner Freunde in San Francisco, Sydney und Malawi unterrichtet, könnten wir all die Prüfungsarbeiten einsammeln und nutzen, um sie aneinander zu korrigieren. Jeder Text würde vielleicht Fehler enthalten, aber es ist äußerst unwahrscheinlich, dass fünf separat angefertigte Texte dieselben Fehler aufweisen würden. Dasselbe gilt aufgrund der schnellen, chaotischen Verbreitung des Christentums für die Manuskripte der Bibel. Richard Bauckham erklärt es so: »[Jesus] lebte im Mittleren Osten, und in den ersten paar Jahrhunderten des Christentums verbreitete sich der Glaube in alle Himmelsrichtungen – nicht nur nach Griechenland, Rom, Frankreich und Spanien, sondern auch nach Ägypten, Nordafrika und Äthiopien, in die Türkei, in den Irak, nach Armenien, Persien und Indien.«[7] Als sich die frohe Botschaft über Jesus nach und nach verbreitete, wurden die Berichte der Evangelien über sein Leben eifrig vervielfältigt und verteilt. Hätten wir nur eine Abschrift jedes Evangeliums zur Verfügung, und wir wüssten, dass es sich um eine Abschrift einer Abschrift einer Abschrift handelt, könnten wir nicht wissen, ob und welche Fehler sich im Laufe der Zeit eingeschlichen hätten. Da wir aber Tausende von Manuskripten von den kompletten Evangelien oder von Teilen davon aus den verschiedensten Orten haben, können wir die Abschriften, die an einem Ort angefertigt wurden, mit anderen Abschriften von einem anderen Ort vergleichen und die Fehler bestimmen. Die Fülle an Manuskripten aus den unterschiedlichsten Orten bedeutet, dass der Großteil der Texte der Evangelien in unseren heutigen Bibeln nicht infrage steht. Manche Abschnitte aber schon.

Die letzten zwei Zeilen des Shakespeare-Sonetts, das meine Tochter lernte, lauten: »Solang ein Herz noch schlägt, ein Auge sieht, /Leb' auch, dir Leben gebend, dies mein Lied!«[8] Miranda hatte geschrieben:

7 Richard Bauckham, *Jesus: A Very Short Introduction* (Oxford: Oxford University Press, 2011), 1.
8 Übersetzung von Alexander Neidhardt (1870); http://www.deutsche-liebeslyrik.de/europaische_liebeslyrik/shakespeare/shakespeare_18.htm.

»Solang ein Herz noch schlägt *und* ein Auge sieht, /Leb' auch, dir Leben gebend, dies mein Lied!« – eine Veränderung, die für die Bedeutung der Zeile nahezu keinen Unterschied macht. Die überwiegende Mehrheit der Fragezeichen zu Versen in den Evangelien sind von dieser Sorte: geringfügige Abweichungen, die keine wesentlichen Bedeutungsunterschiede für den Text zur Folge haben. Doch es gibt auch eine Handvoll Abschnitte, bei denen es wirklich schwierig ist herauszufinden, was in der Urschrift stand. Ist das der Fall, steht in unseren modernen Bibeln ein Vermerk. Einer der längsten solcher Abschnitte in der Bibel erzählt die Geschichte einer Frau, die beim Ehebruch ertappt wird.

Die frühesten Handschriften, die uns vom Johannesevangelium vorliegen, beinhalten diese Geschichte nicht. In einigen Handschriften steht sie an anderer Stelle im Text, und manchmal findet man sie stattdessen sogar im Lukasevangelium. Das könnte man dadurch erklären, dass die Geschichte nicht in dem ursprünglichen Buch enthalten war, das Johannes geschrieben hat, sondern mündlich weitergegeben und später in das Johannesevangelium aufgenommen wurde, weil man das Ereignis als so erinnerungswürdig empfand. Nichts, was Christen über Jesus glauben, steht oder fällt mit diesem Text. Die dortige Darstellung Jesu geht jedoch absolut konform mit dem Bild, das die Evangelisten von ihm zeichnen.

BEIM EHEBRUCH ERTAPPTE FRAU

Zu Beginn der Geschichte lehrt Jesus im Tempel. Am Tag zuvor hatte er für reichlich Aufregung gesorgt, und nun sandten die Hohepriester und Pharisäer Diener, um ihn festzunehmen. Doch die Diener wurden von der Anziehungskraft der Lehren Jesu aus der Spur gebracht: »Noch nie haben wir einen Menschen so reden hören«, berichten sie (Johannes 7,46). Das verärgert die Pharisäer nur noch mehr. Einer der jüdischen Anführer, Nikodemus, dessen nächtlicher Besuch bei Jesus in Johannes 3 nachzulesen ist, setzt sich erfolglos für Jesus ein. Trotz des erhöhten Risikos kommt Jesus am nächsten Morgen wieder in den Tempel. »Als dann das ganze Volk zu ihm kam, setzte er sich und begann sie zu unterweisen« (Johannes 8,2).

Auf der Suche nach einem Grund, um Jesus festnehmen zu können, bringen die Schriftgelehrten und Pharisäer eine Frau zu ihm, die beim Ehebruch erwischt wurde. »Sie stellten sie in die Mitte und sagten zu ihm: ›Rabbi, diese Frau wurde beim Ehebruch auf frischer Tat ertappt. Im Gesetz schreibt Mose vor, solche Frauen zu steinigen. Was sagst du nun dazu?‹« (Verse 4–5).

Die Situation ist angespannt. »Die Ehe darfst du nicht brechen!« war das siebte der berühmten Zehn Gebote, die Gott Mose gab, nachdem er sein Volk aus der Sklaverei in Ägypten befreit hatte (2. Mose 20,14). Außerdem hieß es im alttestamentlichen Gesetz, dass ein Mann und eine Frau, die beim Ehebruch erwischt wurden, hingerichtet werden mussten, und zwar beide (5. Mose 22,22; 3. Mose 20,10). Auffallend ist, dass die religiösen Anführer den betreffenden Mann nicht mitbringen. Sie scheinen mehr darauf bedacht zu sein, die Frau zu verurteilen. Aber am meisten sind sie darauf aus, Jesus zu verurteilen. Johannes merkt an: »Mit dieser Frage wollten sie ihm eine Falle stellen, um ihn dann anklagen zu können« (Johannes 8,6). Wenn Jesus diese Frau gehen lässt, verstößt er gegen das jüdische Gesetz. Doch wenn er bestätigt, dass sie gesteinigt werden muss, riskiert er, mit den Römern in Konflikt zu geraten, die die rechtliche Autorität zur Hinrichtung ihrer jüdischen Untertanen bei sich selbst sahen. Jesus hat keinen Grund, sich einer Gefangennahme zu widersetzen. Er weiß, dass er auf das Kreuz zugeht. Aber er nutzt die Gelegenheit, um das Volk zu lehren und die Frau zu beschützen.

»Jesus beugte sich vor und schrieb mit dem Finger auf die Erde« (Vers 6), bevor er den Schriftgelehrten und Pharisäern eine Antwort gibt. Wir wissen nicht genau, was das zu bedeuten hat, und dazu wurden schon viele Theorien aufgestellt. Vielleicht schreibt Jesus das Urteil auf den Boden. Vielleicht deutet er implizit auf die im Alten Testament vorgeschriebene Prüfung hin, die aufdecken sollte, ob eine Frau Ehebruch begangen hatte. Dabei wurde Staub vom Boden der Wohnung Gottes (dem Vorläufer des Tempels) mit Wasser vermischt, das die Frau dann trinken sollte, damit zutage träte, ob Gott sie verurteilte oder freisprach (4. Mose 5,11–29). Vielleicht zeigt Jesus ihnen einfach, wie furchtlos er ist im Hinblick auf das, was die Pharisäer und Schriftgelehrten ihm antun könnten. Doch sie fragen ihn immer wieder, wie sie vorgehen sollen.

Schließlich steht Jesus auf und sagt: »Gut, wer von euch ohne Sünde ist, der stoße als Erster den Stein auf sie!« (Johannes 8,7), und schreibt weiter auf die Erde. Als die Schriftgelehrten und Pharisäer Jesu Worte hören, »[zieht] sich einer nach dem anderen zurück, die Ältesten zuerst. Schließlich [ist] Jesus mit der Frau allein. Sie [steht] immer noch an der gleichen Stelle« (Vers 9). Als Jesus sich wieder aufrichtet, fragt er die Frau: »Frau, wo sind sie hin? Hat keiner dich verurteilt?« Sie antwortet: »Keiner, Herr« (Vers 10). Das ist das dritte Mal, dass Jesus jemanden im Johannesevangelium mit »Frau« anspricht. Die erste war seine Mutter auf der Hochzeit zu Kana (Johannes 2,4). Die zweite war die samaritanische Frau am Brunnen (Johannes 4,21). Es handelt sich hierbei nicht um eine geringschätzige Formulierung. Jesus sagt zu dieser Frau, die beim Ehebruch ertappt und anschließend erniedrigt wurde und nun Angst um ihr Leben hat: »Ich verurteile dich auch nicht. Du kannst gehen. Sündige aber nicht mehr!« (Johannes 8,11).

Wie sehen wir Jesus durch die Augen dieser Frau? Wir sehen ihn als den Mann, der allein das Recht hat, sie zu verurteilen, sich aber dennoch entschließt, sie gehen zu lassen. Wir sehen ihn als den, der ihre Sünden vergeben und ihr Leben bewahrt hat. Wir sehen ihn als den, der gezeigt hat, dass sie nicht in eine andere Kategorie fiel als die religiösen Anführer, weil jede einzelne anwesende Person sich sexuell versündigt hatte – bis auf Jesus.

Manche Menschen meinen, diese Geschichte verharmlose sexuelle Sünde. Doch das tut sie nicht. Jesus nahm Ehebruch sehr ernst. Anstatt aber nur auf die Taten zu sehen, sieht Jesus auch auf das Herz. In seiner berühmten Bergpredigt im Matthäusevangelium lehrt Jesus wie folgt:

> Ihr wisst, dass es heißt: »Du sollst die Ehe nicht brechen!« Ich aber sage euch: Wer die Frau eines anderen begehrlich ansieht, hat in seinem Herzen schon Ehebruch mit ihr begangen. (Matthäus 5,27–28)

Jesus lockert das Gesetz zum Ehebruch nicht auf, er zieht eine noch engere Grenze. Jesus zufolge ist sexuelle Sünde eine ernstere Sache als ein Herzinfarkt. Er fährt fort:

> Wenn du durch dein rechtes Auge verführt wirst, dann reiß es aus und wirf es weg! Es ist besser für dich, du verlierst eins deiner Glieder, als dass du mit unversehrtem Körper in die Hölle kommst. Und wenn dich deine rechte Hand zur Sünde verführt, dann hau sie ab und wirf sie weg. Es ist besser für dich, du verlierst eins deiner Glieder, als dass du mit unversehrtem Körper in die Hölle kommst. (Verse 29–30)

Doch anstatt die Trennlinie zwischen der beim Ehebruch ertappten Frau und den Männern, die nur zu bereit waren, sie zu steinigen, zu ziehen, wendet Jesus diesen Grundsatz an und zieht eine andere Trennlinie, die sowohl die Ehebrecherin als auch ihre Ankläger auf der falschen Seite des Gesetzes dastehen lässt. Nur Jesus hat das Recht, sie zu verurteilen. Aber stattdessen vergibt er ihr.

Das Musikvideo von Adeles Lied »Hello« erzählt visuell die Geschichte einer in die Brüche gegangenen Liebesbeziehung und passt scheinbar zum Liedtext. Doch in Interviews äußerte Adele, dass es in dem Lied eigentlich darum geht, wie sie ihr Schuldgefühl hinter sich lassen und die Verbindungen mit allen neu aufnehmen will, insbesondere mit sich selbst. Im 21. Jahrhundert sehen wir im Westen Schuld eher als ungesundes Gefühl an, das es abzulegen gilt, und meinen, uns selbst zu vergeben, sei wichtiger, als andere um Vergebung zu bitten. Doch Jesus spielt unsere Schuld nicht herunter. Er nimmt sie uns ab. Heute reden wir davon, dass wir uns selbst vergeben müssen – und lernen müssen, uns selbst zu lieben. Doch wenn das unser Fokus ist, setzen wir die Vergebung und Liebe aufs Spiel, die Jesus uns anbietet. Es ist nicht zu spät, um zu sagen, dass uns etwas leidtut. Und dazu müssen wir ihn nicht Tausende Male anrufen – er nimmt uns mit offenen Armen auf.

DISKUSSIONSFRAGEN

Zum Einstieg: Warst du als Kind ein Regeleinhalter oder ein Rebell? Teile mit uns ein Beispiel aus deiner Kindheit.

1. Wie beurteilten die Menschen zur Zeit des Neuen Testaments Prostituierte?
2. Welche Ähnlichkeiten und Unterschiede siehst du zwischen der Geschichte von Maria aus Betanien, die Jesus salbte, und der Sünderin, die Jesus salbte? Inwiefern liefert uns dieser Vergleich ein vollständigeres Bild davon, wer Jesus ist?
3. Lies 1. Petrus 2,22. Vor dem Hintergrund dieses Verses: Worin liegt die Ironie in Jesu Aussage: »[W]er von euch ohne Sünde ist, der stoße als Erster den Stein auf sie« in Johannes 8,7?
4. Welche Ähnlichkeiten bemerkst du an der Art, wie Jesus auf jede der Sünderinnen in diesem Kapitel eingeht?
5. Bei wem denkst du, er oder sie sei zu weit auf moralische Abwege geraten oder bewege sich nicht mehr innerhalb der Grenzen von Gottes Reich? Wie begegnet Jesus dieser Vorstellung?
6. Neigst du dazu, deine Sünde mit den Sünden anderer zu vergleichen? Wiegst du dich durch dieses Vergleichen dahingehend in der falschen Sicherheit, dass deine Sünde nicht so schlimm ist, oder lässt es dich angesichts der Ausmaße deiner Sünde verzweifeln?
7. Wie beeinflussen die Geschichten der Vergebung in diesem Kapitel deinen Umgang mit deiner eigenen Sünde?
8. Was ist für dich der wichtigste Aspekt Jesu, wenn du ihn durch die Augen dieser Frauen siehst?

Genauer hinsehen: Lies Lukas 7,36–50.

1. Zähle die verschiedenen Arten auf, wie die Sünderin Jesus berührt. Inwiefern bricht Jesus mit seiner Reaktion alle Erwartungen?
2. Wie wird die Sünderin mit Simon dem Pharisäer kontrastiert? Was offenbart das Nebeneinander dieser beiden Personen darüber, was es bedeutet, Jesus zu lieben und ihm zu dienen?

3. Welchen Anspruch stellt Jesus an sich selbst auf, als er der Frau sagt, dass ihre Sünden vergeben sind (siehe Markus 2,7)?

KAPITEL 6

LEBEN

Der letzte Film, den mein Mann und ich uns zusammen angeschaut haben, ist *Red Notice*. In dieser albernen Actionkomödie geht es um Kunstdiebe, die versuchen, drei mit Edelsteinen besetzte Kunsteier zu stehlen, mit welchen vor 2000 Jahren Cleopatra vom römischen General Marcus Antonius beschenkt worden sein soll. Relativ am Anfang des Films informiert einer der Hauptfiguren (dargestellt durch Dwayne Johnson alias »The Rock«) ein Kunstmuseum in Rom, dass das dort ausgestellte Ei möglicherweise gerade gestohlen wurde. Der Museumsdirektor glaubt ihm nicht. Als sie im Ausstellungsraum ankommen, sieht es so aus, als befinde sich das Ei unversehrt an seinem Platz. Doch mithilfe eines Wärmesensors zeigt Johnson, dass das Ei nicht die richtige Strahlung absondert. Der Direktor sagt, der Sensor müsse wohl fehlerhaft sein. Also nimmt Johnson einem kleinen Jungen eine Coladose aus der Hand und gießt den Inhalt über den vermeintlich antiken metallenen Kunstschatz. Das Ei löst sich auf.

Ohne die leibhaftige Auferstehung Jesu ist der christliche Glaube so tot und begraben wie Jesu Leichnam am ersten Samstag nach seinem Tod. Ohne sie fällt die wilde, zuerst seiner Mutter verkündete Behauptung, dass Jesus Gottes ewiger König sein würde, in sich zusammen. Im Christentum gibt es weder Wahrheit noch Hoffnung noch Leben, wenn Jesus nicht auferstanden ist. Einige Wissenschaftler, wie Bart Ehrman, argumentieren, wenn wir die vier Berichte der Evangelien über Jesu Tod und Auferstehung untersuchen, löse sich die Behauptung der Auferstehung vor unseren Augen auf wie das mit Cola getaufte Ei. Doch wie wir in diesem Kapitel sehen werden, entdecken wir bei einem genaueren Blick auf die entsprechenden Abschnitte in den Evangelien das Gegenteil: nicht den Beweis einer Fälschung, sondern Zeichen für die Authentizität der Frohen Botschaft. Eines dieser Zeichen ist die Tatsache, dass uns alle vier Evangelien dazu einladen, Jesu Tod und Auferstehung durch die Augen von Frauen zu sehen.

VON DER GEBURT BIS INS GRAB

Eines Abends, als ich meine damals fünfjährige Tochter Eliza ins Bett brachte, legte sie ihre Arme um meinen Nacken und fragte: »Mami, wirst du mich halten, wenn ich sterbe?« »Ja, mein Schatz«, antwortete ich. Gott sei Dank ist es viel wahrscheinlicher, dass sie mich halten wird, wenn ich sterbe. Das eigene Kind sterben zu sehen, ist eine grauenvolle Vorstellung. Wenn Eliza – Gott bewahre – vor mir sterben sollte, dann hoffe ich, dass ich sie in den Armen halten kann. Doch selbst wenn sie erst in hohem Alter stirbt, wenn ich schon lange nicht mehr da bin, könnte es sein, dass Eliza nach mir rufen wird. Ich habe kürzlich erfahren, dass ältere Menschen, wenn sie sterben, oft zu einem kindlichen Bedürfnis nach Trost zurückkehren und nach ihren Müttern rufen.

Kurz bevor Jesus starb, rief auch er seiner Mutter etwas zu. Aber nicht, damit sie sich um ihn kümmerte, sondern um sich um *sie* zu kümmern. Johannes schreibt:

> Als Jesus seine Mutter neben dem Jünger stehen sah, den er besonders liebhatte, sagte er zu ihr: »Frau, das ist jetzt dein Sohn!« Und zu dem Jünger sagte er: »Das ist nun deine Mutter!« Der Jünger nahm sie zu sich und sorgte von da an für sie. (Johannes 19,26–27)

»Der Jünger, den Jesus liebhatte« war Johannes' Art, sich selbst zu erwähnen. Wir wissen, dass Jesu Halbbruder Jakobus einer der Leiter der frühen Gemeinde wurde. Doch während Jesu Leben auf der Erde begriffen seine biologischen Geschwister seinen Auftrag offenbar nicht. Vielleicht ist das der Grund, warum Jesus seine Mutter der Fürsorge eines ihm nahestehenden Jüngers anvertraute. Genauso wie Jesus für die Witwe aus Naïn sorgte, sorgte er auch für seine eigene Mutter. Maria wusste als Erste, wer Jesus ist. Sie hatte seit seiner frühesten Kindheit für ihn gesorgt. Doch als sie ihren Blick auf ihren Sohn richtete, der am Kreuz unvorstellbare Qualen durchlitt, erkannte sie, was wir alle erkennen, wenn wir zu ihm aufschauen: dass Jesus der ist, der wirklich für uns sorgt.

ANDERE FRAUEN AM KREUZ

Es ist für uns schwer, vollständig zu erfassen, was eine Kreuzigung im ersten Jahrhundert bedeutet hat. Mit seinem Meisterwerk *Herrschaft – Die Entstehung des Westens* von 2019 will der britische Historiker Tom Holland uns helfen, das zu verstehen. Es handelte sich um den »schlimmsten denkbaren Tod« – eine Strafe, die besonders für Sklaven gedacht war, um sie in möglichst hohem Maße zu quälen und zu erniedrigen. »Der aasige Gestank ihres Elends war so faul«, erklärt Holland, »dass viele sich allein durch das Zuschauen einer Kreuzigung beschmutzt fühlten.«[1] Und doch betonen alle vier Evangelien des Neuen Testaments die Frauen, die sich bewusst dazu entschieden, bei Jesu Tod zuzusehen.

Nach jüdischem Recht waren zwei oder drei Zeugen nötig, wenn jemand für ein Verbrechen angeklagt wurde (5. Mose 19,15). Dieser Grundsatz weitete sich auch auf andere Bereiche des Lebens aus, sodass Matthäus, Markus und Johannes jeweils explizit drei Frauen nennen, die bei der Kreuzigung zugesehen haben.[2] Markus berichtet:

> Einige Frauen hatten von weitem zugesehen. Unter ihnen waren Maria aus Magdala, Maria, die Mutter von Jakobus, dem Kleinen, und von Joses, sowie Salome. Sie hatten Jesus schon in Galiläa begleitet und für ihn gesorgt. Zusammen mit vielen anderen waren sie ihm bis nach Jerusalem gefolgt. (Markus 15,40–41)

Wie wir sehen werden, spielt Maria aus Magdala in den Berichten der Evangelien über Jesu Auferstehung eine zentrale Rolle. Bei Matthäus,

1 Holland, *Dominion*, 2. (eigene Übersetzung).
2 Bauckham, *Jesus and the Eyewitnesses*, 49 (eigene Übersetzung).

Markus und Johannes wird sie auch in Zusammenhang mit der Kreuzigung namentlich genannt. Markus' zweite Zeugin ist eine weitere Maria, deren Söhne Jakobus und Joses (eine andere Schreibweise für Josef) der frühen Gemeinde wahrscheinlich gut bekannt waren.[3] Als dritte nennt Markus eine Frau namens Salome. Salome war in dieser Region zu dieser Zeit der zweithäufigste Name unter jüdischen Frauen.[4] Aber Salomes Name steht allein, was andeutet, dass Markus' erste Leser von ihr gehört haben müssen und dass es unter den bekannten Jüngern Jesu keine andere Salome gab.

Die ersten zwei von den bei Markus erwähnten Frauen finden wir auch so bei Matthäus. Statt Salome nennt dieser jedoch als dritte Augenzeugin »die Mutter der Zebedäussöhne« (Matthäus 27,56). Wie wir in Kapitel 3 festgestellt haben, kommt diese Frau nur im Matthäusevangelium vor, und ihre Anwesenheit am Kreuz kompensiert quasi ihren fehlgeleiteten Versuch, ihren Söhnen in Jesu Reich die besten Plätze zu sichern. Lukas – der schon an viel früherer Stelle in seinem Evangelium Maria aus Magdala, Johanna und Susanna als einige der Frauen nennt, die Jesus nachfolgten – berichtet einfach, dass in einiger Entfernung »die Frauen [standen], die ihm seit der Zeit seines Wirkens in Galiläa gefolgt waren. Sie hatten alles mit angesehen« (Lukas 23,49). All diese Frauen kannten Jesus sehr gut. Sie waren ihm jahrelang gefolgt. Als er durch die Städte und Dörfer gezogen war, um das Reich Gottes zu verkünden, waren sie bei ihm gewesen. Sie hatten ihn heilen, lehren und Dämonen austreiben gesehen. Und nun sahen sie ihn an ein Kreuz genagelt – in aller Öffentlichkeit gefoltert.

Johannes ist der einzige Evangelist, der sich selbst als Zeugen der Kreuzigung nennt. Doch wie Matthäus und Markus zählt auch er drei weibliche Zeugen auf – alle mit Namen Maria: »Es standen aber bei dem Kreuz Jesu seine Mutter und die Schwester seiner Mutter, Maria, des Klopas Frau, und Maria aus Magdala« (Johannes 19,25). Anders als die anderen beiden Marias in Johannes' Liste ist »Maria, des Klopas

3 In ähnlicher Weise argumentiert Bauckham, dass Simon von Kyrene, den Markus an früherer Stelle seiner Erzählung als den nennt, der dazu genötigt wurde, Jesu Kreuz zu tragen, in Markus 15,21 »der Vater von Alexander und Rufus« genannt wird, wahrscheinlich, weil seine Söhne der frühen Gemeinde bekannt waren und Markus auf ihr Zeugnis darüber hinweisen wollte, was ihr Vater gesehen hatte. Siehe Bauckham, *Jesus and the Eyewitnesses*, 52.

4 Bauckham, *Jesus and the Eyewitnesses*, 85 (eigene Übersetzung).

Frau« kein uns vertrauter Name.[5] Aber in frühen christlichen Werken wird ein Paar namens Maria und Klopas (was ein seltener Name war) als Eltern von einem Mann namens Simon genannt, der einer der Hauptleiter der frühen Gemeinde war. Klopas war ein Bruder von Jesu Adoptivvater Josef, weshalb Johannes seine Frau Maria auch die Schwester von Jesu Mutter nennt. Also war diese Maria Johannes' ersten Lesern wahrscheinlich auch bekannt.[6]

Wie sehen wir Jesus durch die Augen der vielen Frauen, die zusahen, wie Jesus gekreuzigt wurde – von denen einige seit der Zeit in Galiläa mit ihm unterwegs gewesen waren und ihm gedient hatten und andere mit ihm nach Jerusalem gekommen waren? Wir sehen ihn als den, den sie liebten und der zerbrochen, entstellt, verachtet und verspottet war. Wir sehen das Schild über seinem Kopf: »Das hier ist Jesus, der König der Juden« (Matthäus 27,37). Wir sehen den, auf den sie ihren ganzen gottgegebenen Glauben gesetzt hatten, an ein römisches Kreuz genagelt. Wir sehen ihn durch ihre Tränen. Doch was am wichtigsten ist: Wir sehen ihn.

In einem Großteil dieses Buches haben wir durch die Augen von Frauen geschaut und Jesus als Helden gesehen. Wir haben ihn als Lehrer und Heiler gesehen, als einen lang ersehnten König, als den, der sogar Tote aus ihren Gräbern ruft und Sündern göttliche Vergebung zuspricht. Doch hier sehen wir ihn als den, der entsetzliche Qualen und einen grauenvollen Tod erleidet. Wir sehen ihn als ein Opfer der Macht Roms. Wir sehen ihn in diesem Augenblick nicht als den Herrn über alles, sondern als augenscheinlich Gescheiterten. Und um zu verstehen, wer Jesus wirklich ist, ist es von entscheidender Bedeutung, dass wir auf ihn am Kreuz schauen, wie es auch Maria aus Magdala, Maria, die Frau des Klopas, Maria, die Mutter von Jakobus und Joses, Jesu Mutter Maria, Salome und die Mutter der Zebedäussöhne taten. Doch die Rolle der Frauen als Zeuginnen ist hier nicht zu Ende. Wir müssen weiter durch ihre Augen schauen.

5 Im griechischen Text wird die andere Frau, die Johannes nennt, nur »Maria des Klopas« genannt, doch damit wird vermutlich impliziert, dass sie »die Frau des Klopas« war.

6 Richard Bauckham argumentiert, dass der Klopas, der hier von Johannes erwähnt wird, derselbe ist wie Kleopas, einer der beiden Jünger, die Lukas nennt, die dem auferstandenen Jesus auf dem Weg nach Emmaus begegnen (Lukas 24,18). Kleopas war die griechische Version des hebräischen Namens. S. Bauckham, *Gospel Women*, 208–9.

ZEUGEN DER GRABLEGUNG JESU

Nur allzu schnell übergeht man die Grablegung Jesu als unwichtiges Hügelchen zwischen zwei Gipfeln. Doch die Schreiber der Evangelien nehmen sich die Zeit, um die Zeugen dieses Ereignisses zu nennen. Auch hier werden wieder mehrere Frauen aufgezählt. Das ist vor allem deshalb auffallend, weil alle vier Evangelisten bei diesem Ereignis einen weitaus beeindruckenderen Augenzeugen nennen. Im Markusevangelium lesen wir: »Da wagte es Josef aus Arimatäa, zu Pilatus zu gehen und ihn um den Leichnam von Jesus zu bitten. Er war ein angesehenes Mitglied des Hohen Rates und einer von denen, die auf das Kommen des Reiches Gottes warteten« (Markus 15,43). Nachdem ihm der Leichnam übergeben wird, »kaufte dieser ein feines Leinentuch, nahm Jesus vom Kreuz ab und wickelte ihn in das Tuch. Dann legte er ihn in eine Grabhöhle, die aus dem Felsen gehauen war« (Vers 46). Das Johannesevangelium fügt an diesem Punkt einen zweiten männlichen Zeugen hinzu: einen Leiter der Pharisäer namens Nikodemus (Johannes 19,39), dessen Geschichte, wie er Jesus nachts aufgesucht hatte, an früherer Stelle erzählt wird (Johannes 3,1–15). Das Zeugnis dieser einflussreichen Männer hätte viel mehr Gewicht gehabt als das von Jesu weiblichen Nachfolgern. Dennoch weisen Matthäus, Markus und Lukas alle auf die Frauen hin, die bei Jesu Grablegung anwesend waren. Dass die Frauen wussten, wo Jesus begraben lag, ist von zentraler Bedeutung, denn andernfalls würde die Tatsache, dass sie am ersten Ostermorgen ein leeres Grab vorfanden, ihre Sprengkraft verlieren.

Markus schreibt, dass »Maria aus Magdala und Maria, die Mutter von Joses, beobachteten, wohin der Leichnam Jesu gelegt wurde« (Markus 15,47). Ebenso erzählt uns Matthäus, dass Maria aus Magdala und die andere Maria (d. h. die Mutter von Jakobus und Joses) gegenüber vom Grab saßen und zusahen, als der Eingang zu Jesu Grab mit einem Rollstein verschlossen wurde (Matthäus 27,61). Es fällt auf, dass sowohl Matthäus als auch Markus bei der Schilderung von Jesu Grablegung die jeweils dritte Zeugin aus ihren Kreuzigungsberichten auslassen, wahrscheinlich, weil Susanna und die Mutter der Zebedäussöhne dort nicht anwesend waren. Matthäus informiert uns außerdem, dass eine Wache vor Jesu Grab postiert wurde, um es zusätzlich abzusichern (Verse 62–66). Auch hier fasst sich Lukas wieder allgemeiner. Trotzdem ist es auch ihm offenbar wichtig, uns zu vermitteln, dass Jesu Jüngerinnen bei seiner Grablegung zusahen: »Die Frauen aus Galiläa waren Josef gefolgt. Sie sahen die Grabhöhle und schauten zu, wie der Leichnam von Jesus hineingelegt wurde« (Lukas 23,55).

Wie sehen wir Jesus durch die Augen dieser Frauen, als er begraben wird? Wir sehen den, der Jaïrus' Tochter, den Sohn der Witwe aus Naïn und Marias und Martas Bruder wieder zum Leben erweckt hat, nun selbst tot daliegen. Wir sehen den, der Tote aus ihren Gräbern rufen konnte, selbst im Grab liegen. Wir sehen, dass das Grab dessen, der befahl, dass man den Stein vor Lazarus' Grab wegnähme, nun mit einem Stein verschlossen wird. Wir sehen den, der zu Marta gesagt hatte, dass er die Auferstehung und das Leben war, nun leblos und kalt daliegen. Trotzdem blieben die Frauen bei ihm. Die wichtige Frage ist aber diese: Wer kam an dem besagten Sonntagmorgen zu Jesu Grab zurück, und was genau haben diejenigen dort gesehen?

ZEUGEN DER AUFERSTEHUNG

In allen vier Evangelien lesen wir, dass früh am ersten Tag der Woche Frauen zu Jesu Grab gingen, und in allen vier Evangelien lesen wir dabei von Maria aus Magdala. Doch jedes Evangelium zählt unterschiedliche weitere Namen auf. Ehrman deutet diese abweichenden Namenslisten als Beweis dafür, dass sich die Berichte gegenseitig widersprechen. »Wer ist zum Grab gegangen?«, fragt er:

> War es nur Maria (Johannes 20,1)? Maria und eine andere Maria (Matthäus 28,1)? Maria aus Magdala, Maria – die Mutter des Jakobus – und Salome (Markus 16,1)? Oder Frauen, die Jesus von Galiläa nach Jerusalem begleitet hatten, d. h. möglicherweise Maria aus Magdala, Johanna, Maria – die Mutter des Jakobus – und »andere Frauen« (Lukas 24,1; vgl. 23,55)?[7]

Auf den ersten Blick wirken diese Diskrepanzen beunruhigend. Doch wie Bauckham erklärt, sind sie das nicht:

7 Bart Ehrman, *Jesus Interrupted: Revealing The Hidden Contradictions In The Bible (And Why We Don't Know About Them)* (New York: HarperCollins, 2009), 47 (eigene Übersetzung).

> Die Abweichungen zwischen den Listen wurden oft als Grundlage genommen, um zu argumentieren, dass sie nicht wirklich die Augenzeugen der Ereignisse [Jesu Tod, Grablegung und Auferstehung] aufzeichnen. Tatsächlich ist jedoch das Gegenteil der Fall: Diese Abweichungen – ordnet man sie richtig ein – demonstrieren die akribische Genauigkeit, mit der Frauen in den Evangelien als Zeuginnen dargestellt werden.[8]

Bauckham argumentiert, dass die Schreiber der Evangelien alles andere als miteinander uneinig waren, sondern vielmehr »sorgfältig genau die Frauen nannten, von denen sie selbst wussten, dass sie Zeuginnen waren«.[9] Während Ehrman anmerkt, dass im Johannesevangelium nur Maria aus Magdala genannt wird, versäumt er es darüber hinaus, in seinem Fazit zu erwähnen, dass aus dem Johannesevangelium auch deutlich hervorgeht, dass Maria aus Magdala nicht allein war. Als sie zu Petrus und Johannes läuft, um ihnen von ihrem Erlebnis zu erzählen, spricht sie im Namen mehrerer: »Sie haben den Herrn aus der Gruft weggenommen, und wir wissen nicht, wo sie ihn hingebracht haben« (Johannes 20,2). Ehrmans auf den abweichenden Namenslisten basierende Kritik ist nicht wasserdicht. Doch was ist mit den Abweichungen zwischen den Berichten in Bezug auf das, was die Frauen sahen? Ist das, wie Ehrman behauptet, ein Beweis dafür, dass die Berichte nicht vertrauenswürdig sind? Ich denke nicht.

Auf die erste Schwierigkeit stoßen wir im Markusevangelium. Markus schreibt, dass die Frauen sich untereinander fragen, wer für sie den schweren Stein vor Jesu Grab wegrollen wird. Als sie jedoch ankommen, merken sie, dass ihr Problem bereits gelöst ist:

> Doch als sie jetzt hinblickten, sahen sie, dass der riesige Stein zur Seite gewälzt war. Sie gingen in die Grabkammer hinein und erschraken sehr, als sie auf der rechten Seite einen jungen Mann in weißem Gewand sitzen sahen. Der sprach sie

8 Bauckham, *Jesus and the Eyewitnesses*, 49 (eigene Übersetzung).
9 Bauckham, *Jesus and the Eyewitnesses*, 51 (eigene Übersetzung).

gleich an und sagte: »Erschreckt nicht! Ihr sucht Jesus von Nazaret, den Gekreuzigten. Er ist auferstanden, er ist nicht hier. Seht, das ist die Stelle, wo sie ihn hingelegt hatten. Und nun geht zu seinen Jüngern und sagt ihnen und dem Petrus: ›Er geht euch nach Galiläa voraus. Dort werdet ihr ihn sehen, wie er es euch angekündigt hat.‹« Zitternd vor Furcht und Entsetzen stürzten die Frauen aus der Gruft und liefen davon. Sie hatten solche Angst, dass sie mit niemand darüber redeten. (Markus 16,4–8)

Bei diesem Abschnitt handelt es sich wahrscheinlich um das ursprüngliche Ende des Markusevangeliums. Wenn du eine moderne Bibelübersetzung aufschlägst, wirst du weitere Verse sehen und einen Vermerk, der besagt, dass einige der frühesten Manuskripte Kapitel 16, Verse 9–20 nicht enthalten. Anstatt die Schleife ordentlich zuzuziehen, beendet Markus das als Erstes niedergeschriebene Evangelium mit etwas, das eher einem ausgefransten Knoten ähnelt. Doch daraus können wir nicht den Schluss ziehen, dass die Auferstehung eine Behauptung ist, die erst später aufgestellt wurde. Der von Markus beschriebene Mann in Weiß, der die Frauen so erschreckt hatte, sagt über Jesus von Nazareth: »Er ist auferstanden, er ist nicht hier«, und er verspricht den Frauen, dass sie Jesus wiedersehen werden, wie er es ihnen gesagt hatte (Verse 6–7).

Wie ist es dann mit der Reaktion der Frauen? Anders als die anderen Evangelisten schreibt Markus, dass die Frauen »solche Angst [hatten], dass sie mit niemandem darüber redeten« (Vers 8). Doch Markus kann nicht gemeint haben, dass die Frauen niemals jemandem davon erzählt haben, sonst hätte diese Szene nicht ins Markusevangelium aufgenommen werden können! Vielmehr ist dieses Ende des Markusevangeliums selbst ein Beweis dafür, dass die Frauen Petrus doch davon erzählten, wie es ihnen aufgetragen wurde, und dass Petrus sicherstellte, dass ihr Zeugnis in das Evangelium aufgenommen wurde, das Markus für ihn niederschrieb. Bauckham erklärt es so, dass Markus, wenn er schreibt, dass die Frauen »mit niemand darüber redeten«, nicht meinte, dass sie die Anweisung des Engels, den Aposteln Jesu davon zu erzählen, missachteten, sondern dass sie diese Nachricht nicht allgemein mit der

Öffentlichkeit teilten. Außerdem stellt Markus die Frauen Bauckham zufolge nicht als Feiglinge dar, sondern mit genau der passenden Reaktion auf so außergewöhnliche Nachrichten wie diese.[10]

Die Realität von Jesu Auferstehung ist in der Tat erschreckend. Uns fällt das nicht auf, weil für uns diese Vorstellung nicht neu ist. Aber Jesu leeres Grab zu finden und erzählt zu bekommen, dass er von den Toten auferstanden ist, muss diese Frauen aus ihren Sandalen gehauen haben – genauso wie damals, als Jesus mit seinem Wort einen Sturm gestillt hatte und seine Jünger »von Furcht gepackt« waren und fragten: »Wer ist das nur, dass ihm sogar Wind und Wellen gehorchen?« (Markus 4,41). Die Auferstehung beweist, dass Jesus den Tod besiegt hat und dass er Gottes ewiger, universeller, alles überwindender König ist. Die Frauen erschraken zu Recht!

Und was ist mit den Abweichungen in den Evangeliumsberichten über das, was die Frauen sahen und hörten? Lukas' Text ist ähnlich wie der von Markus, aber statt einen Mann in Weiß treffen die Frauen laut Lukas »zwei Männer in leuchtenden Gewändern«, die ihnen sagen, dass Jesus auferstanden ist, wie er es versprochen hat (Lukas 24,1–7). Widerspricht Lukas Markus dadurch, dass er von zwei Männern spricht anstatt von einem? Nein. Markus konzentriert sich in seinem Bericht über die Auferstehung auf den Mann, der zu diesen Frauen spricht, genauso wie Johannes unsere Aufmerksamkeit auf Maria aus Magdala lenkt, obwohl offensichtlich ist, dass noch weitere Frauen anwesend waren.[11] Dasselbe machen wir heute übrigens auch. Vor Kurzem habe ich meinem Pastor, Curtis, geschrieben, um zu fragen, ob meine beste Freundin Rachel und ich in den Räumlichkeiten unserer Gemeinde einen Podcast aufnehmen könnten. Curtis kennt mich und Rachel gut. Also sagte er: »Klar doch!« Als ich ihn später am Nachmittag traf, fragte er, wie es mit dem Podcast gelaufen war, und war ganz überrascht, dass Rachel und ich interviewt worden waren, und zwar von der Person, die den Podcast hostete und an diesem Tag gerade in der Stadt war. Ich hatte die eigentliche Podcasterin in meiner Mail nicht erwähnt – obwohl

10 Siehe Bauckham, *Gospel Women*, 290 (eigene Übersetzung).

11 Es ist charakteristisch für Markus, kürzer zu berichten. Zum Beispiel erwähnt er, als er berichtet, wie Jesus einen Blinden namens Bartimäus heilt, nur einen blinden Mann (Markus 10,46–52), während Matthäus zwei erwähnt (Matthäus 20,29–34).

die Aufnahme nur durch ihre Anwesenheit überhaupt stattgefunden hatte –, weil dieses Detail für meine Anfrage nicht relevant war. Genauso vereinfachen die Schreiber der Evangelien häufig eine Szene, indem sie Personen auslassen, die für das, was sie aussagen wollen, nicht so wichtig sind.

Die Evangelisten lassen auch viele scheinbar bedeutende Ereignisse aus, weil sie Jesu Leben, Tod und Auferstehung gekürzt in Bücher fassen, die man jeweils in gerade mal anderthalb bis zweieinhalb Stunden lesen kann. Beispielsweise ist Matthäus der einzige Evangelist, der berichtet, dass eine Wache vor Jesu Grab postiert wurde, und er fügt hinzu, was kurz vor der Ankunft der Frauen passiert:

> Nach dem Sabbat, in der Morgendämmerung des ersten Wochentags, machten sich Maria aus Magdala und die andere Maria auf den Weg, um nach dem Grab zu sehen. Plötzlich gab es ein starkes Erdbeben. Ein Engel des Herrn war vom Himmel gekommen und zum Grab getreten. Er wälzte den Stein weg und setzte sich darauf. Seine Gestalt flammte wie ein Blitz, und sein Gewand war weiß wie Schnee. Da zitterten und bebten die Wächter vor Angst und fielen wie tot zu Boden. Aber zu den Frauen sagte der Engel: »Ihr müsst nicht erschrecken! Ich weiß, ihr sucht Jesus, den Gekreuzigten. Er ist nicht hier, er ist auferstanden, wie er es gesagt hat. Kommt her, und seht euch die Stelle an, wo er gelegen hat. Und nun geht schnell zu seinen Jüngern, und sagt ihnen, dass er von den Toten auferstanden ist. Er geht euch nach Galiläa voraus. Dort werdet ihr ihn sehen. Ihr könnt euch auf meine Worte verlassen!« Erschrocken und doch voller Freude liefen die Frauen von der Gruft weg. Sie eilten zu den Jüngern, um ihnen alles zu berichten. (Matthäus 28,1–8)

Matthäus identifiziert die furchterregende Gestalt, die mit den Frauen redet, als einen Engel des Herrn. Doch das bedeutet nicht, dass er dem auffallenden Mann in Weiß aus Markus' Bericht Flügel hinzugedichtet hat. Während Engel in der Bibel fast immer als schreckenerregend beschrieben werden, haben sie nur selten Flügel und werden manchmal für Menschen gehalten (siehe 1. Mose 18,2–19,22).

Anders als Markus und Lukas, jedoch wie Johannes, berichtet Matthäus auch von einer direkten Begegnung der Frauen mit Jesus selbst:

> Auf einmal kam Jesus ihnen entgegen. »Seid gegrüßt!«, sagte er. Da liefen sie zu ihm hin, warfen sich nieder und umfassten seine Füße. »Habt keine Angst!«, sagte Jesus zu ihnen. »Geht, und sagt meinen Brüdern, sie sollen nach Galiläa gehen! Dort werden sie mich sehen.« (Matthäus 28,9–10)

Vielleicht fragen wir uns jetzt, wie es sein kann, dass Lukas diese Begegnung auslässt. Dafür berichtet er allerdings von anderen Erscheinungen des Auferstandenen, die Matthäus wiederum nicht erzählt (Lukas 24,13–49). Wenn wir die Auferstehungsberichte in Matthäus, Markus und Lukas durchlesen, sehen wir, wie die Evangelisten jeweils unterschiedliche Entscheidungen in Bezug darauf treffen, wie sie ihr Material auswählen und zusammenfassen und was sie hervorheben wollen. Und eigentlich machen wir häufig dasselbe.

Anfang Dezember wurde bei uns zu Hause ein Päckchen zugestellt. Darin befand sich ein Fotobuch. Meine Tochter Eliza fragte mich, wer es uns geschickt hatte. Ich sagte: »Oma.« Eliza entgegnete: »Oma hat es nicht geschickt. Eine Frau namens Susan hat es geschickt«, woraufhin ich erklärte: »Ja, ich weiß. Omas Freundin Susan hat die Fotos aufgenommen, und Oma hat ihr das Fotobuch abgekauft und sie darum gebeten, es für sie an Papa zu senden.« Eliza brauchte eine gute Minute, um das zu verarbeiten und zu entwirren. Meine ursprüngliche Aussage, dass Oma uns das Buch geschickt hatte, war eine vereinfachte Version, mit der ich die Betonung auf das legte, was ich für besonders relevant hielt. Doch auch Elizas Aussage, dass es eigentlich Susan war, die das Fotobuch versandt hatte, und nicht Oma selbst, traf zu.

Würden die Evangelisten Elizas Frage beantworten, hätte Markus wahrscheinlich wie ich den Kern der Sache angesprochen: »Oma hat Papa das Fotobuch geschickt.« Matthäus hätte uns vielleicht weitere Details gegeben: »Omas Freundin hat das Fotobuch für Papa hergeschickt.« Lukas hätte es eventuell noch weiter ausgeführt: »Oma hat ihre Freundin Susan, eine Fotografin, dafür bezahlt, das Fotobuch an Mama zu senden, damit sie es als Papas Weihnachtsgeschenk verpacken kann.« Johannes hätte vermutlich nur gesagt: »Dein Papa liebt die Fotografie. Oma liebt deinen Papa. Das Geschenk ist ein Zeichen ihrer Liebe.« Es ist wie Schnappschüsse eines unbezahlbaren Kunstwerks aus verschiedenen Perspektiven: Jeder der Evangelisten eröffnet uns eine einzigartige Perspektive, die auf den Augenzeugenberichten beruhen, zu denen sie jeweils Zugang hatten. Wie Johannes gegen Ende seines Evangeliums schreibt, ist sein Ziel nicht, alles aufzuschreiben, sondern seine Leser mit dem, was er aufschreibt, zu überzeugen: »Jesus tat vor den Augen seiner Jünger noch viele andere Wunderzeichen [...] Was hier berichtet ist, wurde aufgeschrieben, damit ihr glaubt, dass Jesus der Messias ist, der Sohn Gottes, und damit ihr als Glaubende Leben habt in seinem Namen« (Johannes 20,30–31). Wie ist es also mit dem Auferstehungsbericht des Johannes?

»ICH HABE DEN HERRN GESEHEN«

Wie so oft in den Evangelien, schlägt Johannes einen anderen Kurs ein als Matthäus, Markus und Lukas. Zunächst lenkt er unsere Aufmerksamkeit ausschließlich auf Maria aus Magdala:

> Früh, am ersten Wochentag, als es noch dunkel war, ging Maria aus Magdala zum Grab. Sie sah, dass der Stein, der den Eingang zur Grabhöhle verschloss, weggenommen war. Da lief sie schnell zu Simon Petrus und dem anderen Jünger, den Jesus besonders liebhatte, und sagte: »Sie haben den Herrn aus der Gruft weggenommen, und wir wissen nicht, wo sie ihn hingebracht haben.« Da ging Petrus hinaus, und der andere Jünger folgte ihm. Sie wollten zum Grab und liefen miteinander los. Aber der andere Jünger war schneller als Petrus und kam zuerst an der Grabhöhle an. Er beugte sich vor und sah die Leinenbinden daliegen, ging aber noch nicht hinein. Als Simon Petrus ankam, ging er gleich in die Grabkammer. Er sah die Leinenbinden daliegen und das Schweißtuch, das sein Gesicht bedeckt hatte. Das lag getrennt von dem Leinenzeug und zusammengerollt an einem eigenen Ort. Jetzt

> ging auch der andere Jünger, der zuerst angekommen war, hinein. Er sah es sich an und glaubte. Denn bis dahin hatten sie noch nicht verstanden, dass Jesus nach dem Zeugnis der Schrift von den Toten auferstehen musste. Die beiden Jünger gingen wieder nach Hause. (Johannes 20,1–10)

Auf den ersten Blick könnten wir meinen, dass Johannes die Rolle der Frauen herunterspielt und stattdessen die Aufmerksamkeit auf Petrus und auf sich selbst lenkt. Auch Lukas schreibt von Petrus' Besuch am Grab, nachdem dieser hörte, was die Frauen verkündeten (Lukas 24,12). Es war also nicht das erste Mal, dass Petrus' Rolle hervorgehoben wurde. Doch wenn wir bei Johannes weiterlesen, stellen wir fest, dass der Fokus hier noch mehr auf Maria aus Magdala gelegt wird als in den anderen Evangelien.

Sehen wir uns zunächst mal Marias Begegnung mit den Engeln an: »[A]ber Maria stand inzwischen wieder draußen an der Grabhöhle und weinte. Weinend beugte sie sich vor, um in die Gruft hineinzusehen. Auf einmal sah sie zwei weiß gekleidete Engel an der Stelle sitzen, wo Jesus gelegen hatte, einer am Kopfende und der andere am Fußende« (Johannes 20,11–12). Doch anstatt davon zu erzählen, welche Botschaft die Engel den Frauen verkünden, zeichnet Johannes ihre an Maria gerichtete Frage auf: »Frau, warum weinst du?« Sie antwortet: »Sie haben meinen Herrn weggeschafft, und ich weiß nicht, wo sie ihn hingelegt haben« (Vers 13). Maria trauert und ist etwas verwirrt. Nicht genug, dass ihr Herr gekreuzigt wurde, jetzt scheint auch noch sein Leichnam gestohlen worden zu sein, sodass sie sich nicht wie erhofft darum kümmern kann.

Wie sehen wir Jesus in diesem Moment durch die Augen von Maria aus Magdala? Gar nicht. Bis sie sich umdreht.

> Als sie über die Schulter zurückblickte, sah sie auf einmal Jesus dastehen, erkannte ihn aber nicht. Er sagte: »Frau, warum weinst du? Wen suchst du?« Sie dachte, es sei der Gärtner, und sagte: »Herr, wenn du ihn weggetragen hast, sag mir bitte, wo er jetzt liegt. Dann werde ich ihn holen.«

> »Maria!«, sagte Jesus. Da drehte sie sich um und rief: »Rabbuni!« Das ist Hebräisch und heißt: Lehrer! (Verse 14–16)

Sobald sie ihren Allerweltsnamen hört, werden Marias mit Tränen gefüllte Augen geöffnet, und sie sieht den auferstandenen Herrn als den, der er ist. Maria reagiert mit einem der wenigen auf Aramäisch wiedergegebenen Worte im Johannesevangelium: »Rabbuni«, eine Abwandlung von »Rabbi«. Sie grüßt den auferstandenen Jesus mit einem Wort, das von ihrer Jüngerschaft zeugt. Ja, diese trauernde Frau ist die Jüngerin, der sich der auferstandene Jesus als Erstes offenbart.

Matthäus schildert, dass Maria aus Magdala und die andere Maria Jesu Füße berührten und ihn lobten (Matthäus 28,9). Wir können uns Maria aus Magdala also durchaus so vorstellen, dass sie die Füße Jesu noch umfasst, als dieser sie auf eine Mission schickt:

> »Fass mich nicht länger an!«, sagte Jesus zu ihr. »Ich bin noch nicht zum Vater im Himmel zurückgekehrt. Geh zu meinen Brüdern und sag ihnen von mir: Ich kehre zurück zu meinem Vater und eurem Vater, zu meinem Gott und eurem Gott.« Da ging Maria aus Magdala zu den Jüngern. »Ich habe den Herrn gesehen!«, verkündete sie und richtete ihnen aus, was er ihr aufgetragen hatte. (Johannes 20,17–18)

In einer Kultur, in der Frauen oft zu schweigen hatten, beauftragt Jesus nun eine Jüngerin, seinen männlichen Jüngern zu verkünden, dass er auferstanden ist. Es ist auffallend, dass Maria aus Magdala die erste Person im Johannesevangelium ist, die Jesus »den Herrn« nennt.[12] Der Ausdruck wird zuvor dreimal verwendet, um den Bundesgott Israels zu bezeichnen (Johannes 1,23; 12,13.38), und zweimal vom Autor Johannes, der sich dabei auf Jesus bezieht (Johannes 6,23; 11,2). Doch hier, in diesem Moment der Offenbarung, verkündet Maria den anderen Jüngern: »Ich habe den Herrn gesehen.«

12 Jesus wird schon an früherer Stelle im Johannesevangelium von mehreren anderen Personen »Herr« genannt (z. B. Johannes 6,68; 8,11; 9,38; 11,3.12.21.27.32.39; 13,6.9.25.36.37; 14,5.8), doch er wird dort nicht als »der Herr« bezeichnet.

FRAUEN ALS AUGENZEUGEN

»Das glaube ich nur, wenn ich es sehe«, ist einer der Lieblingssprüche meines Mannes. Er ist ein wiedergeborener Nachfolger Jesu, aber in anderen Dingen von Natur aus skeptisch. Wie Bryan legten auch die Geschichtsschreiber zur Zeit Jesu einen großen Wert auf das Sehen: »Das glaube ich nur, wenn du es gesehen hast«, wäre ein passendes Motto für ihre Zunft gewesen. Die Evangelisten, die dies wohl im Hinterkopf hatten, lassen die Frauen in den letzten Kapiteln ihrer Berichte wiederholt mit Verben des Sehens in Verbindung stehen. Bauckham schreibt:

> [Die Frauen] »sahen« das Geschehen, als Jesus starb (Matthäus 27,55; Markus 15,40; Lukas 23,49), sie »sahen«, in welche Gruft er gelegt wurde (Markus 15,47; Lukas 23,55), am ersten Tag der Woche gingen sie los, um nach dem Grab zu »sehen« (Matthäus 28,1), sie »sahen«, dass der Stein weggerollt war (Markus 16,4), sie »sahen« den jungen Mann auf der rechten Seite sitzen (Markus 16,5), und der Engel forderte sie auf, sich die leere Stelle »anzusehen«, an der Jesus gelegen hatte (Matthäus 28,6; Markus 16,6).

Bauckham kommt zu dem Schluss: »Es könnte kaum deutlicher sein, dass die Evangelien auf ihre Rolle als Augenzeuginnen anspielen.«[13] Vor diesem Hintergrund hat der Ausspruch von Maria aus Magdala »Ich habe den Herrn gesehen« doppeltes Gewicht. Wie ein Journalist aus der heutigen Zeit, der Fotos abliefert, um seine Story zu stützen, fungiert Maria als Augenzeugin von Jesu Auferstehung – nicht nur für die Apostel, sondern auch für die Leser.

Die Tatsache, dass in den Auferstehungsberichten aller vier Evangelien Frauen eine zentrale Rolle spielen, finden wir als Leser aus dem 21. Jahrhundert nicht unattraktiv. Doch auf gebildete Männer in der griechisch-römischen Welt der Antike hätte es die gegenteilige Wirkung gehabt. Wie Bauckham ausführt: »Gebildete Männer hielten Frauen in religiösen Belangen für leichtgläubig und sahen sie als besonders anfällig für abergläubische Fantasien und religiöse Prakti-

13 Bauckham, *Jesus and the Eyewitnesses*, 48 (eigene Übersetzung).

ken.«[14] Der griechische Philosoph Celsus, der im zweiten Jahrhundert lebte, sprach aus, was viele seiner Zeitgenossen gedacht haben müssen, als er Maria aus Magdala ins Visier nahm:

> Nach dem Tod ist [Jesus] auferstanden und hat die Wundmale seiner Bestrafung und seine durchbohrten Hände gezeigt. Aber wer hat das gesehen? Ein halb rasendes Weib, wie ihr sagt, und vielleicht noch ein anderer von derselben Gaunerbande.[15]

Aus Celsus' Perspektive waren Maria aus Magdala und die anderen weinenden Frauen, die Zeuginnen der sogenannten Auferstehung waren, ein Witz. Hätten die Schreiber der Evangelien ihre Geschichten frei erfunden, hätten sie Josef von Arimathäa und Nikodemus als die ersten Zeugen der Auferstehung nennen können, zwei angesehene Männer, die auch in Jesu Grablegung involviert gewesen waren. Der einzig plausible Grund, warum die Betonung auf dem Zeugnis von Frauen liegt – noch dazu trauernden Frauen –, ist der, dass sie tatsächlich auch Zeuginnen waren.

Anfangs waren sogar Jesu Apostel skeptisch. Lukas schreibt: »Es waren Maria aus Magdala, Johanna und Maria, die Mutter des Jakobus, und noch einige andere. Sie erzählten den Aposteln, was sie erlebt hatten. Doch die hielten das für leeres Geschwätz und glaubten ihnen nicht« (Lukas 24,10–11). Diese Frauen waren während der Zeit von Jesu Wirken immer mit ihm mitgereist. Die männlichen Jünger hätten ihnen vertrauen müssen. Doch die Schreiber der Evangelien zeichnen wie immer selbst die peinlichsten Fehler der Apostel gewissenhaft auf: von Petrus' Verleugnung, Jesus zu kennen, hin zu Thomas' Weigerung zu glauben, dass Jesus auferstanden war, bis er ihn mit seinen eigenen Augen sah (Johannes 20,24–29). Auch hier gilt: Wenn die Evangelisten das Erzählte frei erfunden hätten, hätten sie nicht im Traum daran gedacht, ein so beschämendes Bild von den leitenden Männern der frühen Gemeinde zu zeichnen. Doch die Apostel haben diese demütigen-

14 Bauckham, *Jesus and the Eyewitnesses*, 48 (teilweise eigene Übersetzung).
15 Origen, *Contra Celsum*, 2:55, quoted in Bauckham, *Gospel Women*, 271 (teilweise eigene Übersetzung).

de Dokumentation ihrer großen Fehler offenbar hingenommen, weil gerade die Fehler Licht auf den großen Triumph ihres Retters warfen.

Wie im Film *Red Notice* hängt die Erzählung der Evangelien von einer Behauptung über etwas ab, das vor 2000 Jahren passiert ist. Die Hintergrundgeschichte von *Red Notice* ist erfunden. Soweit wir wissen, hat Marcus Antonius der Cleopatra nie drei mit Juwelen besetzte Eier geschenkt. Der Film ist nicht mehr als unterhaltsame Fiktion – von seiner ersten Sekunde bis zu seinem fortsetzungsfähigen Finale. Doch die Evangelienberichte über Jesu Tod, Grablegung und Auferstehung sind alles andere als erfunden. Sie entsprechen in vielerlei Hinsicht nicht dem Skript, das ein Autor aus dem ersten Jahrhundert sich ausgedacht hätte. Sie liefern uns einen gekreuzigten Messias, der als Erstes von weinenden Frauen gesehen wurde. Und je mehr wir davon verstehen, wie Biografien zur damaligen Zeit und in der fraglichen Region eigentlich geschrieben wurden, desto deutlicher erkennen wir, dass die Evangelisten uns lebensverändernde, authentische, überraschende Augenzeugenberichte überliefern. Wir können die Entscheidung treffen, ihnen nicht zu glauben. Doch anders als das gefälschte Ei in der Szene im Museum löst sich die Behauptung der Frauen, gesehen zu haben, wie Jesus gekreuzigt, begraben und am dritten Tag auferweckt wurde, nicht auf, wenn sie auf den Prüfstand gestellt wird. Und wenn diese Nachricht wahr ist, dann ist sie viel wertvoller als sämtliche antike Artefakte. Dann ist sie die Quelle des Lebens selbst.

DISKUSSIONSFRAGEN

Für den Einstieg: Wurdest du schon einmal Zeuge von etwas, das du nicht geglaubt hättest, wenn du es nicht mit eigenen Augen gesehen hättest?

1. Wie sorgt sich Jesus um seine Mutter, als er am Kreuz stirbt?
2. Wer waren die Frauen, die Jesu Kreuzigung verfolgt haben? Was wissen wir über sie?

3. Was weißt du aus den vorherigen Kapiteln über Maria aus Magdala? Wie bereichert dieses Wissen dein Verständnis von ihrer Interaktion mit dem auferstandenen Christus?
4. Warum ist es ungewöhnlich, dass die Augenzeugen von Jesu Auferstehung Frauen waren? Was sagt es über Jesu Haltung gegenüber Frauen aus, dass sie erwähnt werden?
5. Lies Johannes 10,27–28. Inwiefern ist, im Lichte dieser Verse, die Interaktion von Maria aus Magdala mit dem auferstandenen Christus ein Sinnbild für unsere Errettung?
6. In welchen Aspekten deines Lebens fühlst du dich hoffnungslos? Wie kann es dir in deiner Verzweiflung Hoffnung spenden, den Tod, die Grablegung und die Auferstehung Jesu durch die Augen dieser Frauen zu sehen?
7. Als Maria aus Magdala den auferstandenen Christus sah, erkannte sie ihn als »den Herrn«. Während du ihn durch ihre Augen siehst – wer sagst du, dass er ist? Hast du Jesus als den Herrn anerkannt?
8. Was ist für dich der wichtigste Aspekt Jesu, wenn du ihn durch die Augen dieser Frauen siehst?

Genauer hinsehen: Lies Johannes 20,1–18.

1. Wie oft ist in diesem Abschnitt die Rede davon, dass Maria weint? Wie wird hervorgehoben, dass ihre Trauer sich in Freude verwandelt? Inwiefern ist diese Veränderung ein Sinnbild für das Leben als Christ?
2. Nachdem Maria den auferstandenen Christus gesehen hat, verkündet sie: »Ich habe den Herrn gesehen.« Wie erweitern die Verse 9 und 16 unser Verständnis über die Fähigkeit von Menschen, Jesus richtig zu sehen?
3. Wie bestätigt Jesus in Vers 17 Frauen als seine Jünger und als vertrauenswürdige Augenzeugen?

SCHLUSSWORT

DIE EVANGELIEN DER MARIAS

Im sogenannten Evangelium der Maria, mit dem dieses Buch anfing, bittet Petrus Maria, den Jüngern die Offenbarung mitzuteilen, die sie vom Herrn erhalten hat. Maria willigt ein. Ein Großteil des Textes um diese Stelle ist heute nicht mehr erhalten, doch was davon übrig ist, vermittelt einen esoterischen Dialog über die Seele. Als Maria zum Schluss kommt, antwortet Andreas: »Sagt, was ihr wollt, über das, was sie gesagt hat, aber ich glaube nicht, dass der Retter diese Dinge gesagt hat, denn dies sind fürwahr fremde Lehren.«[1] Seine Gedanken sind nachvollziehbar: Die Beschreibung von Jesus in Marias Offenbarung erinnert nahezu gar nicht an den Jesus aus den Evangelien. Petrus hat ebenfalls einen Einwand, aber seine Begründung dafür liegt in Marias Geschlecht: »Hat er etwa mit einer Frau heimlich gesprochen und nicht öffentlich zu uns? Sollen wir uns auch umkehren und alle auf sie hören? Hat er sie mehr als uns erwählt?«[2] In dieser Darstellung des Petrus sehen wir alle möglichen Beispiele für frauenfeindliche Voreingenommenheit. Doch wie wir im Laufe dieses Buches festgestellt haben, brauchen wir das Marienevangelium nicht, um diesem Vorurteil entgegenzuwirken. Die Frauenfeindlichkeit dieses fiktiven Petrus hält im Lichte der Evangelien nach Matthäus, Markus, Lukas und Johannes nicht Stand.

1 Eigene Übersetzung.

2 Zitiert nach Stefanie Oswalt, 08.12.2021; https://www.deutschlandfunkkultur.de/was-nicht-in-der-bibel-steht-das-marienevangelium-100.html; Zugriff am 07.07.2023.

Der Petrus des Marienevangeliums wendet ein, dass Jesus nicht allein und ohne das Wissen seiner Apostel (die alle Männer waren) mit einer Frau gesprochen hätte. Doch wie in Kapitel 3 gesehen war Jesu längstes Gespräch unter vier Augen das mit einer samaritanischen Frau, während seine männlichen Jünger anderswo waren. Der Petrus des Marienevangeliums beschwert sich auf das Zeugnis der Maria hin: »Sollen wir uns auch umkehren und alle auf sie hören?« Doch wie wir in Kapitel 6 erkannt haben, stellen alle vier neutestamentlichen Evangelien Maria aus Magdala als diejenige dar, die beauftragt wird, den Aposteln die Nachricht zu bringen, dass Jesus von den Toten auferstanden ist. Der Petrus des Marienevangeliums murrt: »Hat er sie mehr als uns erwählt?« Doch Matthäus und Johannes erzählen uns beide davon, dass der auferstandene Jesus Maria aus Magdala angetroffen hat. Besonders aus dem Johannesevangelium geht deutlich hervor, dass Jesus genauso gut Petrus als Erstes hätte begegnen können, als dieser zum leeren Grab gerannt kam. Doch Jesus hatte sich entschieden, dass er stattdessen Maria aus Magdala begegnen würde und dass sie und die anderen Frauen die Botschaft über seine Auferstehung zu Petrus und den anderen Aposteln bringen sollten. Aber anstatt dass die Offenbarung an sie ein mystischer Dialog über die Seele ist, berichtet Maria aus Magdala über eine konkrete, persönliche Begegnung mit ihrem auferstandenen Herrn.

Jesus durch die Augen von Frauen anzuschauen, mag zunächst wie ein vollkommen modernes Vorhaben erscheinen. Doch wenn es um den Tod und die Auferstehung Jesu geht, sind es gerade die Evangelisten, die uns dazu einladen. Was wir durch die Augen dieser Frauen sehen, ist kein alternativer Jesus, sondern vielmehr der authentische Jesus, der sowohl Männer als auch Frauen als seine Jünger aufnimmt und den man am besten sieht, wenn man von dem Platz zu seinen Füßen zu ihm aufschaut. Die Frauen, die sich Jesus zu Füßen warfen, um ihre Sünde, Scham und bittere Not vor ihn zu bringen, zeigen uns, wie Jesus diejenigen behandelte, die von anderen verachtet wurden. Die Frauen, die zu den Füßen Jesu saßen, um von ihm zu lernen, helfen uns dabei, unseren Lehrer zu erkennen, der uns Worte des ewigen Lebens bringt. Die Frauen, die Jesu Füße umfassten, als sie ihn das erste Mal als von den Toten Auferstandenen sahen, helfen uns zu sehen, dass Jesus auch heute noch Herr über Himmel und Erde ist.

Die Zeugnisse von Frauen sind nicht bloß ein Anhängsel am Ende der Evangelien: Sie sind in die Evangeliumsberichte mit eingeflochten. In der Einleitung habe ich angemerkt, dass, wenn wir uns durch Matthäus, Markus, Lukas und Johannes durcharbeiten würden und dabei all die Szenen ausschneiden würden, die *nicht* von Frauen bezeugt wurden, nur ein kleiner Anteil der Texte wegfallen würde. Doch selbst wenn wir unseren Blick noch mehr einschränken und nur die Abschnitte in Jesu Leben beibehalten würden, die von Frauen namens Maria bezeugt wurden, würden wir *sehr* wenig verlieren! Wir könnten die vier biblischen Berichte über Jesu Leben sogar mit einiger Berechtigung als die Evangelien der Marias bezeichnen, da in ihnen die Zeugnisse von wenigstens fünf Marias für uns enthalten sind – Jesu Mutter, Maria aus Magdala, Maria von Betanien, Maria, die Frau des Klopas, und Maria, die Mutter von Jakobus und Joses –, deren Kenntnisse von Jesus von seiner Empfängnis bis hin zu seiner Auferstehung reichten.

Die Evangelien in unseren heutigen Bibeln sind die Evangelien von Frauen, die Jesus liebhatte. Jedes von ihnen ist mit den Fingerabdrücken von Frauen versehen. Matthäus und Lukas sind die Evangelien von Maria, der Mutter von Jesus, die als Erste erfuhr, dass er der Sohn Gottes ist und der ewige König sein würde. Matthäus ist das Evangelium von Maria, der Mutter der Zebedäussöhne, die Jesus bis vor das Kreuz folgte und dort zusah, wie er seinen Anspruch verwirklichte, sein Leben als Lösegeld für viele zu geben. Matthäus und Markus sind die Evangelien der Maria, der Mutter von Jakobus und Joses, die Jesu Tod, Grablegung und Auferstehung beobachtete, sowie der heidnischen Frau, deren demütiger Glaube dazu geführt hat, dass ihre Tochter geheilt wurde. Markus ist das Evangelium der Salome, die seit den Anfängen in Galiläa bei Jesus war und sowohl seine Kreuzigung als auch seine Auferstehung bezeugen konnte. Matthäus, Markus und Lukas sind die Evangelien von Petrus' Schwiegermutter, die gleich nach ihrer Heilung wieder diente; von der Frau, die zwölf lange Jahre unter einem Blutfluss litt und sich sagte: »Wenn ich nur an seine Kleidung komme, werde ich geheilt«; und von dem zwölfjährigen Mädchen, das von Jesus so mühelos aus dem Tod auferweckt wurde, als hätte er es aus dem Schlaf geweckt.

Ich habe meinen eigenen Sohn Luke genannt, weil das Lukasevangelium so viele einzigartige weibliche Fingerabdrücke trägt. Es ist nicht nur das Evangelium, das Marias Zeugnis über Jesu Empfängnis sowie ihren unfassbar schönen Lobpreis Gottes enthält, sondern es ist auch das Evangelium der Elisabet, die das werdende Kind Jesus als ihren Herrn erkannte, und von Hanna, die prophezeite, dass der kleine Jesus gekommen war, um Israel zu erlösen. Es ist das Evangelium der Marta aus Betanien, die Jesus in ihrem Haus willkommen hieß, und von Maria aus Betanien, die zu den Füßen Jesu saß und von ihm lernte. Es ist das Evangelium von Johanna, der Frau von Chuza, die den Hof des Herodes verließ, um Jesus auf dem ganzen Weg bis zum leeren Grab nachzufolgen, und von Susanna, deren Geschichte wir nicht mehr kennen, doch die bei Lukas' ursprünglichen Lesern wohl so bekannt war, dass sie nicht näher vorgestellt werden musste. Und darüber hinaus ist das Lukasevangelium das Evangelium vieler anderer nicht namentlich genannter Frauen, denen Jesus half und Würde verlieh, z. B. die Sünderin aus der Stadt, die Witwe von Naïn und die Frau mit der körperlichen Behinderung in der Synagoge.

Das Johannesevangelium ist das vieler Frauen, deren Geschichten wir aus keiner anderen Quelle erfahren hätten – darunter die samaritanische Frau am Brunnen, die das lebendige Wasser trank und in ihrer Heimatstadt verkündete, dass Jesus der Christus ist; und Maria, die Frau von Klopas, die zusah, wie ihr Neffe ans Kreuz genagelt wurde. Doch es ist auch das Evangelium, das die Geschichten einiger Frauen fortführt, die wir in anderen Evangelien kennengelernt haben. Im Johannesevangelium erfährt Marta aus Betanien, dass Jesus die Auferstehung und das Leben ist, und Maria aus Betanien wird als die Frau identifiziert, die Jesus Salböl über die Füße goss. Und rührend ist es zu lesen von Maria, der Mutter von Jesus, wie sie im Johannesevangelium nicht nur bezeugt, wie ihr Sohn Wasser zu Wein machte, sondern auch wie er am Kreuz sein Blut vergoss. Ja, im Johannesevangelium sehen wir, wie Jesus vom Kreuz herab eine besondere Verbindung zwischen seiner Mutter und dem Evangelisten stiftete. Und zu guter Letzt sehen wir im Johannesevangelium, wie Maria aus Magdala, von der uns Lukas erzählt, dass Jesus sieben Dämonen aus ihr ausgetrieben hat – und von deren Anwesenheit am Kreuz und am leeren Grab alle vier Evangelien berichten –, zu der Person wird, an die Jesus seine ersten Worte nach der Auferstehung richtet.

Wie sehen wir Jesus durch die Augen dieser Frauen? Wir sehen ihn als den, der unser Verletztsein heilt und unsere Bedürfnisse stillt. Wir sehen ihn als den, der unsere Sünde auf sich nimmt und uns mit unvorstellbarer Liebe annimmt. Wir sehen ihn als den, der *uns* sieht, selbst wenn alle anderen uns den Rücken kehren, und als den, der uns einlädt, von ihm zu lernen und unsere dürftige Liebe vor seinen Füßen auszuschütten. Wir sehen ihn als den, der der Retter der ganzen Welt ist, aber gleichzeitig jeden Einzelnen von uns mit Namen kennt – selbst wenn wir den häufigsten Namen in der Stadt tragen. Wir sehen ihn als den, der die Scherben unserer zerbrochenen Herzen und Körper aufsammelt und der allein die Macht hat, uns ganz zu machen. Wir sehen ihn als den, der dem Tod aufgrund des Gerichtes Gottes am Kreuz ins Auge sah, damit er uns ansehen und in das ewige Leben rufen kann.

Maria aus Nazareth war die Erste, die von Jesus hörte, bevor sie ihn überhaupt zur Welt brachte. Maria aus Magdala war die Erste, die ihn sah, nachdem er aus dem Grab zu neuem Leben auferstand. Manche meinen, dass das Dokument, das uns aus dem zweiten Jahrhundert vorliegt und heute unter dem Titel Marienevangelium bekannt ist, ihren authentischsten Zeugenbericht wiedergibt. Aber in Wirklichkeit ist uns ihre authentischste Botschaft in dem Dokument aus dem ersten Jahrhundert überliefert, das wir als das Johannesevangelium kennen: »Ich habe den Herrn gesehen« (Johannes 20,18).

Lass uns Jesus heute durch ihre Augen betrachten. Es gibt keinen schöneren Anblick.

DISKUSSIONSFRAGEN

1. Wie hat dein Blick auf die neutestamentlichen Evangelien sich durch das Lesen dieses Buchs verändert?

2. Mit welchen fünf Worten würdest du Jesus im Lichte dessen beschreiben, was du gelesen hast?
3. Was hast du über dich selbst erfahren dadurch, dass du Jesus durch die Augen der Frauen in diesem Buch ansehen konntest?
4. Was solltest du angesichts dieses neuen Verständnisses in Zukunft anders machen?
5. Inwiefern führt dich der Blick dieser Augenzeuginnen auf Jesus in die Anbetung?

DANKSAGUNGEN

Ich habe keinen Ghostwriter. Dafür aber viele Ghostreader, und ich möchte hier die Gelegenheit nutzen, um sie aus dem Schatten hervorzuholen und ihnen Danke zu sagen.

Kurz vor Weihnachten 2021 habe ich einen ersten Entwurf an zwei sehr unterschiedliche Freundinnen geschickt – Christine Caine und Rachel Gilson. Wenn ich ein Buch geschrieben habe und es noch niemand gelesen hat, dachte ich wie üblich, es wäre wahrscheinlich furchtbar. Christine las es zwischen dem 13. und 25. Dezember und schickte mir ihr unbezahlbares Feedback Stück für Stück per SMS. Rachel erzählte mir nicht einmal, dass sie es schon las. Erst als sie fertig war, schickte sie mir all ihr Feedback auf einmal mit der für ihre unnachahmliche Art typischen Anmerkung: »Ich wollte nicht, dass du weißt, dass ich es schon lese, weil ich nicht wollte, dass du mich hetzt!« Ich bin ihnen für ihre beiden Augenpaare dankbar. Mit ihren etwas unterschiedlichen Blickwinkeln haben sie aus diesem ganz und gar unvollkommenen Buch ein weitaus besseres gemacht.

Mein zweites Paar Ghostreader waren Julia Rosenbloom und Paige Brooks. Julia gab mir hilfreiches Feedback im Zusammenhang mit ihrem jüdischen Hintergrund, und Paige half mir dabei zu verstehen, wie es bei einem im Glauben jungen Christen ankommt, für den das Bibellesen noch etwas relativ Neues ist. Diese beiden Freundinnen verschlangen das Buch in Rekordzeit, weil sie wussten, dass ich ihr Feedback so bald wie möglich brauchte. Ich bin ihnen zutiefst dankbar für ihre Zeit und Hilfe.

Im dritten Durchgang wurde das Buch von Menschen gegengelesen, die viel sachkundiger sind als ich selbst. Nathan Riddlehoover und Christopher Cowan haben beide PhDs in Neuem Testament und schickten mir viele wichtige Verbesserungen. Jegliche Fehler, die noch enthalten sind, sind meine eigenen. Aber ohne den Input dieser beiden wären es deutlich mehr gewesen!

Ivan Mesa, Joanna Kimbrel und Cassie Watson waren die offiziellen Lektoren für dieses Buch. Durch ihre sorgfältige Arbeit konnten einige Fehler ausgemerzt und viele Verbesserungen veranlasst werden. Ich danke ihnen und insbesondere Joanna für das Verfassen der Diskussionsfragen, die die Lektüre dieses Buches begleiten.

Ich bin Julius Kim und Collin Hansen von *The Gospel Coalition* dafür dankbar, dass sie mich wieder einmal in halsbrecherischem Tempo ein Buch haben schreiben lassen. Ich danke auch meinem Ehemann Bryan und meinen Kindern Miranda, Eliza und Luke für ihre vorbehaltlose Liebe und Unterstützung.

Für mich wenigstens braucht es ein Dorf der Liebe, um ein Buch zu schreiben. Ich bin dankbar für mein Dorf.

Von derselben Autorin erhältlich:

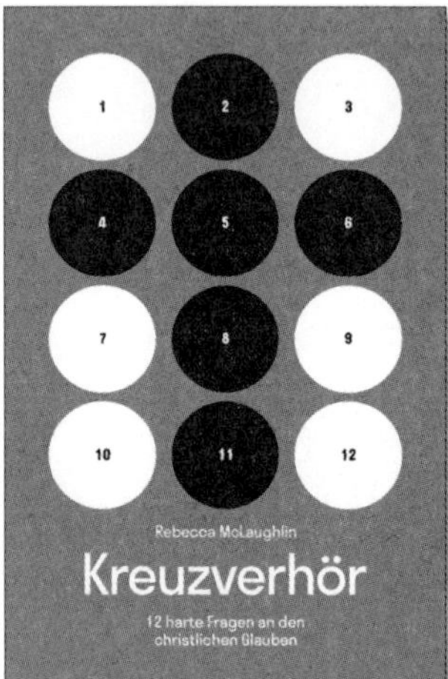

Kreuzverhör
12 harte Fragen an den christlichen Glauben

- Sind wir ohne Religion nicht besser dran?
- Unterdrückt der christliche Glaube Frauen?
- Ist der christliche Glaube nicht homophob?

Das Christentum ist das weltweit am weitesten verbreitete Glaubenssystem und wird es wohl auch in Zukunft bleiben. Doch für viele gebildete westliche Menschen ist das biblische Christentum eine gefährliche Idee, die einige ihrer tiefsten Überzeugungen in Frage stellt.

Auf der Grundlage modernster Forschung, persönlicher Erlebnisse und sorgfältiger Bibelstudien untersucht *Kreuzverhör* zwölf Fragen, die viele von uns davon abhalten, den Glauben an Christus in Betracht zu ziehen. Bei genauerem Hinsehen, so argumentiert McLaughlin, werden die Realität des Leidens, die Komplexität der Sexualität, der Wunsch nach Vielfalt, der Erfolg der Wissenschaft und andere scheinbare Hindernisse für den Glauben zu Wegweisern.
Jesus wird nicht zu einem Relikt aus der antiken Welt, sondern zur besten Hoffnung unserer modernen Welt.

Rebecca McLaughlin
Kreuzverhör
12 harte Fragen an den christlichen Glauben

Pp., 336 S., 13 × 20 cm
ISBN 978-3-9817729-4-4 (cvmd)
ISBN 978-3-8635381-6-3 (CV Dillenburg)
€ 14,90 (D)

Jesus im Kreuzverhör
9 Begegnungen mit dem Helden der Evangelien

- Sind wir ohne Religion nicht besser dran?
- Unterdrückt der christliche Glaube Frauen?
- Ist der christliche Glaube nicht homophob?

Er ist der berühmteste Mensch der Weltgeschichte. Doch während viele ein grobes Bild von Jesus im Kopf haben, haben vergleichsweise wenige die vier Biografien über sein Leben gelesen, die in den Evangelien niedergeschrieben sind.

In *Jesus im Kreuzverhör* vermittelt Rebecca McLaughlin wichtige biblische Hintergründe, die aufzeigen, warum die Evangelien als historische Dokumente ernst genommen werden sollten. Anhand von Augenzeugenberichten zeigt sie, dass Jesus der Sohn Gottes, der König der Juden, der mächtige Heiler, der größte Lehrer, der Freund der Sünder, der leidende Diener, das vollkommene Opfer und der allumfassende Herr ist. Dieses Nachfolgebuch ihres Bestsellers *Kreuzverhör* hilft Lesern, die Botschaft der Evangelien zu verstehen und zu erkunden, wer Jesus wirklich ist.

Rebecca McLaughlin
Jesus im Kreuzverhör
9 Begegnungen mit dem Helden der Evangelien

Pp., ca. 290 S., 13,5 × 20,5 cm
ISBN 978-3-9825009-0-4 (cvmd)
ISBN 978-3-8635394-9-8 (CV Dillenburg)
€ 14,90 (D)

10 Fragen über Gott, die sich jeder junge Mensch stellen sollte

- Wie kann man glauben, dass die Bibel wahr ist?
- Warum können wir uns nicht einfach darauf einigen, dass Liebe Liebe ist?
- Wen interessiert es, ob du ein Junge oder ein Mädchen bist?

In der Schule, mit Freunden oder beim Scrollen durch Social-Media-Feeds – überall werden Teenager mit Herausforderungen an den Glauben konfrontiert. Unabhängig davon, ob du dich selbst als Nachfolger von Jesus Christus verstehst oder nicht, können diese Fragen manchmal echte Hindernisse darstellen.

Untermauert von modernsten Forschungsergebnissen, persönlichen Geschichten, Harry-Potter-Illustrationen (Achtung: Spoiler!) und sorgfältigem Bibelstudium, weicht dieses Buch schwierigen Themen nicht aus. Stattdessen lädt es Teenager dazu ein, ihre schwierigsten Fragen zum christlichen Glauben zu stellen und überraschende, lebendige Antworten zu finden.

Rebecca McLaughlin
10 Fragen über Gott, die sich jeder junge Mensch stellen sollte

Pp., 290 S., 13,3 × 20,3 cm
ISBN 978-3-98177-295-1 (cvmd)
ISBN 978-3-8635382-1-7 (CV Dillenburg)
€ 13,90 (D)

Das neue Credo
Fünf säkulare Glaubenssätze im Test

- »Black Lives Matter«
- »Liebe ist Liebe«
- »Die Schwulenbewegung ist die neue Bürgerrechtsbewegung«
- »Frauenrechte sind Menschenrechte«
- »Transfrauen sind Frauen«

Botschaften wie diese bieten uns ein Alles-oder-Nichts-Paket an – oder anders gesagt, ein säkulares Glaubensbekenntnis. In diesem provokanten Buch hilft uns Rebecca McLaughlin zu unterscheiden: Es gibt Überzeugungen, die Christen gerne bejahen, und es gibt solche, die sie nicht akzeptieren können.

Und sie lädt uns ein, mit unseren Nachbarn über die Dinge zu sprechen, die am wichtigsten sind. McLaughlin argumentiert, dass das Christentum weit davon entfernt ist, sich um der Liebe willen über Unterschiede hinweg zu setzen, und dass es selbst die ursprüngliche Quelle und das solideste Fundament für wahre Vielfalt, Gleichheit und lebensverändernde Liebe ist.

Die Autorin hilft Christen zu unterscheiden, welche Überzeugungen zu bejahen und welche problematisch sind und lädt damit zum Gespräch mit unseren Nachbarn ein, um auf Gottes Liebe hinzuweisen, die das wahre Fundament für Vielfalt und Gerechtigkeit ist.

Rebecca McLaughlin
Das neue Credo
Fünf säkulare Glaubenssätze im Test

Pp., 192 S., 13,5 × 20,5 cm
ISBN 978-3-863538224 (CV Dillenburg)
ISBN 978-3-98177-295-1 (cvmd)
€ 17,90 (D)

Weihnachten - unglaublich?

- Gab es Jesus überhaupt wirklich?
- Können wir die Evangelien ernst nehmen?
- Wie kann man an eine Jungfrauengeburt glauben?
- Warum ist das von Bedeutung?

Ist die Geschichte von dem Baby in der Krippe von Bethlehem tatsächlich nur ein Märchen für Kinder? In diesem kurzen Buch legt die bekannte Apologetin Rebecca McLaughlin Beweise vor: Beweise dafür, dass Jesus eine reale Person war; dass die biblischen Berichte über sein Leben historisch zuverlässig sind; Gründe dafür, warum der Glaube an eine Jungfrauengeburt nicht so lächerlich ist, wie er manchmal dargestellt wird.

Dieses Buch zeigt: Es gibt gute Gründe für den Glauben. Die berühmteste Geschichte der Welt ist eine Tatsache, kein Märchen. Doch es geht um viel mehr als nur Geschichte. Dieses historische Ereignis kann unserem Leben heute Sinn und Freude geben.

Rebecca McLaughlin
Weihnachten - unglaublich?
Vier Fragen, die jeder an die unglaublichste Geschichte der Welt stellen sollte

Pp., 80 S., 11 × 18 cm
ISBN 978-3-8635355-6-8 (CV Dillenburg)
ISBN 978-3-9817729-7-5 (cvmd)
€ 4,90 (D) – Staffelpreise möglich

Ostern - unglaublich?

- Ist das Leben Jesu historisch belegbar?
- Ist der Tod Jesu ethisch begründbar?
- Ist die Auferstehung Jesu historisch glaubwürdig?
- Ist Jesu Angebot attraktiv?

Die Auferstehung Jesu Christi von den Toten ist eine außergewöhnliche Sache – eine Sache des Glaubens. Viele denken, ein solch übernatürliches Ereignis sei nur eine Illusion. Doch Millionen von Christen auf der ganzen Welt glauben, dass die Auferstehung Jesu ein reales, historisches Ereignis war. »Wenn aber Christus nicht auferweckt wurde, ist euer Glaube sinnlos«, und die Christen wären »die bedauernswertesten von allen Menschen« (1. Korinther 15).

In diesem prägnanten Buch zeigt die angesehene Apologetin Rebecca McLaughlin auf, welche Beweise dafür sprechen, dass Jesus wirklich von den Toten auferstanden ist, und warum das die beste Nachricht überhaupt ist.

Rebecca McLaughlin
Ostern - unglaublich?
Vier Fragen, die jeder an die Auferstehungsgeschichte
stellen sollte

Pp., 80 S., 11 × 18 cm
ISBN 978-3-98177-298-2 (cvmd)
ISBN 978-3-8635386-7-5 (CV Dillenburg)
€ 4,90 (D) – Staffelpreise möglich